De talenten**dag**

Hartelijk dank!

Leen van der Lee, Yme Kuiper, Jan van Erve en Rinske Moedt van
SC Heerenveen: zonder jullie was dit boek er niet geweest.
SC Heerenveenspeler Geert-Arend Roorda, voor de spontane medewer-
king en voor het beantwoorden van al Matteo's vragen!
Anton, Willie, Bart en Frank Klapwijk, voor alle inside-informatie,
hulp en bemiddeling.
Ida van der Molen, die ook in dit deel voor de Friese vertaling heeft
gezorgd.
Jean Pierre Seveke, for the Italian translations, again.

Corien Oranje

www.corienoranje.nl

De talentendag

Met voetbaltips van Geert-Arend Roorda
en Matteo Salvatore

Corien Oranje

Met illustraties van
Wendelien van de Erve

COLUMBUS

In de serie Superfriezen verscheen ook:

De nieuwe linksbuiten
De voetbalclinic

STICHTING NEDERLANDSE
KINDERJURY
2009

De talentendag
Corien Oranje

ISBN 978-90-8543-108-4
NUR 282, 283
AVI-8

Ontwerp omslag: Buitenspel, Meppel
Illustraties omslag en binnenwerk: Wendelien van de Erve
Opmaak binnenwerk: Gerard de Groot

Uitgeverij Columbus is onderdeel van Uitgeversgroep Jongbloed te Heerenveen

www.jongbloed.com
www.corienoranje.nl

Inhoud

1 YouTube

'Volgende week beginnen we met de spreekbeurten', zegt meester Friso.

Er klinkt gekreun uit de klas. Gemopper. Protesten.

'Ah, nee, meester!'

'Geen spreekbeurten!'

'We dachten dat u het zou vergeten!'

'Kom op nou, meester!'

Meester Friso begint zijn bril te poetsen. 'Dat vind ik nou zo leuk van deze klas', zegt hij tevreden.

'Dat jullie altijd zo enthousiast zijn. Jullie zijn overal voor in.'

'Kunnen we niet iets op de computer doen?' vraagt Matteo. 'Een werkstuk maken?'

'Ja!' zegt Tiani. 'Vinden we veel leuker!'

'En we leren er ook veel meer van', zegt Gijs braaf.

Meester zet zijn bril op en pakt zijn agenda. 'Eens kijken naar mijn leuke schemaatje. Nienke, jij bent maandag aan de beurt. Ben je er klaar voor?'

Nienke knikt ijverig. 'Al lang! Ik ken hem al uit mijn hoofd zelfs.'

'Uitslover!' fluistert Gijs achter zijn hand.

Meester kijkt hem aan over zijn bril. 'Wat zei je, Gijs?'

'Niks, meester.'

'Dan is het goed. Nienke, waar gaat je spreekbeurt over?'

'Over zuinig zijn met energie, meester.'

Meester schrijft iets in zijn agenda. 'Kijk, dat vind ik nou eens een interessant onderwerp. En nog nuttig ook. Heel goed, Nienke.

En dan gaan we nu naar de volgende ... Dat is Matteo. Matteo, jij bent donderdag aan de beurt. Ook al klaar?'

Donderdag? Matteo verslikt zich bijna van schrik. 'Eh ...'

'Nog niet klaar dus. Al wel begonnen, hoop ik?'

'Nou ja, nog niet echt', zegt Matteo. 'Maar ...'

Meester Friso tikt met zijn voet op de vloer. 'Wat voor onderwerp heb je gekozen?'

Matteo krabt in zijn haar. 'Eh ...'

'Voetbal toch?' zegt Gijs behulpzaam. 'Je zou het toch over voetbal doen?'

'O ja', zegt Matteo snel. 'Dat is ook zo. Ik ga het over voetbal doen.'

'Voetbal ...' Meester slaakt een diepe zucht. 'Jongens. We hadden afgesproken dat jullie een origineel onderwerp zouden bedenken. Schaken bijvoorbeeld. Of spaarlampen. Spreekbeurten over voetbal heb ik al honderd keer gehoord. Net als spreekbeurten over konijnen en honden trouwens. Alsjeblieft zeg. Ik val in slaap van verveling als ik nog een keer een spreekbeurt over voetbal moet aanhoren. Of over konijnen.'

'Dat is een belediging!' roept Arif. 'Hoe kunt u voetbal met konijnen vergelijken! Voetbal is véél interessanter!'

'En Matteo's spreekbeurt wordt de allerinteressantste die u ooit gehoord hebt', zegt Tiani. 'In uw hele leven.'

'Ja', zegt Jelle. 'Echt waar, meester. Het wordt nog interessanter dan zuinig zijn met energie. Matteo is een geboren spreekbeurtenhouder.'

'Als u in slaap valt, eet ik mijn potlood op', zegt Gijs.

'Oké, oké', zegt meester. Hij steekt zijn handen op. 'Een spreekbeurt over voetbal. Maar denk erom, Matteo. Maak er wat van, want ik val zó in slaap. En ik zou niet graag willen dat Gijs buikpijn kreeg. Potloden eten is niet echt gezond.'

Matteo knikt benauwd. Help. De allerinteressantste spreekbeurt die meester Friso ooit gehoord heeft. En hij heeft nog maar een week. Hoe krijgt hij dat voor elkaar?

'Hé, Matteo!' fluistert Gijs tijdens computerles. 'Moet je zien!'
Matteo kijkt opzij. Gijs heeft zijn Excel-document weggeklikt. Hij is een YouTube-filmpje aan het bekijken. Een jongetje dat aan het voetballen is.
'Dit is die jongen die gister op het Jeugdjournaal was', fluistert Gijs.
Matteo werpt een snelle blik op meester Friso. Die is net een paar meisjes aan het helpen. Hij heeft niks in de gaten. Onopvallend leunt hij over naar het scherm van Gijs.
Veel ouder dan een jaar of acht kan het voetballertje niet zijn. Hij is kleiner dan al zijn tegenstanders. Maar hij passeert ze een voor een. Zelfs als hij onderuitgehaald wordt, weet hij de bal nog te houden. Hij maakt de ene na de andere goal.
'Coooool', fluistert Matteo.
'Hij is gescout door AC Milan', zegt Gijs zachtjes.
'Wát?'

'Zo', zegt meester Friso. 'Matteo. Gijs.'
Geschrokken kijkt Matteo om. Daar staat meester. Met zijn handen in zijn zij. Hij ziet er niet al te vriendelijk uit.

'Jullie kennen de regels', zegt hij.

'Ja, dat is waar', begint Gijs. 'Maar –'

'Hoe vaak moet ik het nog zeggen!' roept meester. Zijn gezicht is rood.

'Het is STRENG verboden om te internetten tijdens de computerles! Behalve als ik er de OPDRACHT voor geef! Dat weten jullie!'

'Ja, maar –'

'Niks ja maar. Had ik jullie opdracht gegeven om te internetten? Had ik jullie opdracht gegeven om voetbalfilmpjes te downloaden? Nou?'

Er klinkt onderdrukt gelach vanachter de andere computers.

'Nou?' zegt meester streng.

Matteo schudt zijn hoofd. 'Nee.'

'Nee wát?'

'Nee, meester.'

'Gijs?'

'Nee, meester.'

'Heel goed. Dan zijn we het daarover eens. Een maand lang niet computeren in de pauzes. En nablijven na schooltijd. Jullie kunnen nu naar de klas.'

Tip:
Geen plek om te voetballen? Onzin!
Voetballen kan overal! Zorg dat je
overal en altijd een bal bij je hebt en
oefen:
In de winkel tussen de gangpaden door.
Slalom om dames met karretjes heen.

Thuis in de woonkamer. Gebruik je de tv als doel? Zorg dan voor een goede keeper.
Op school als je even naar de wc moet: dribbel door de gangen.

2 Achtjarige jongen krijgt contract

Matteo staat langzaam op. Samen met Gijs loopt hij het lokaal uit.

Wat een pech. Nablijven. Alsof hij niks beters te doen heeft. Een spreekbeurt schrijven, bijvoorbeeld.

Met zijn voet duwt hij de deur van het lege klaslokaal open. Hij laat zich op zijn stoel zakken. 'Nou, bedankt hè', moppert hij.

Gijs stompt hem tegen zijn schouder. 'Ah, kom op. Geeft dat nou, man, als we even na moeten blijven. Nu hebben we in elk geval dat filmpje gezien. Die jongen was goed, hè?'

'Dat wel.'

'Maar wij zijn beter. Toch?'

'Ik weet het niet. Ik vond hem wel érg goed.'

'Jij bent beter.'

'Pff. Dat zeg je alleen maar zodat ik niet meer boos ben.'

'Niet man, ik meen het. Vorige zaterdag, man. Je scoorde drie keer achter elkaar!'

'Tegen die kleintjes uit E7. Nee, dán ben je goed! Er zaten jongens bij die bang waren voor de bal. Die ervoor wegdoken.'

'Oké. Maar ik vond toch ...'

Matteo valt zijn vriend in de rede. 'Hé, wat zei je nou, zonet? Over die jongen? Is die gescout door AC Milan?'

Gijs knikt enthousiast. 'Heb je het Jeugdjournaal niet gezien, gisteren?'

'Nee. Was het op het Jeugdjournaal?'

'Ja, en in de krant. Wacht even.' Gijs zoekt in de achterzakken van zijn spijkerbroek. Hij haalt een klein vodje krantenpapier tevoorschijn en vouwt het uit.

'Hier. Lees maar.'

Achtjarige jongen krijgt contract

De acht jaar oude Frank Molenaar uit Zwolle krijgt een contract bij AC Milan.

Zijn vader had een video van zijn zoon op YouTube gezet. Op de video was te zien hoe goed Frank kon voetballen. Zonder moeite passeerde hij iedereen op weg naar het doel. Tegenstanders werden keer op keer verrast door zijn schijnbewegingen. Scouts van de Italiaanse topclub waren enthousiast. 'Net David Beckham in zijn goede jaren', vonden ze. Ze boden Frank meteen een contract aan.

Frank en zijn familie verhuizen deze maand nog naar Italië.

'Voor de droom van onze zoon hebben we alles over', aldus vader Molenaar. Hij denkt in Milaan snel weer een baan te vinden. 'Dat zal wel lukken toch? Tegelzetters zijn overal nodig.'

Franks moeder is dolblij. 'Dit is de mooiste dag van mijn leven.'

Frank zal de voetbalschool van AC Milan doorlopen. Als hij goed genoeg is, zal hij over tien jaar in het hoogste elftal van de topclub spelen.

'Wow.' Matteo geeft het papiertje weer terug. 'Dat is zo cool!'

'Ja hè?' zegt Gijs. 'Ik zou ook wel naar Milaan willen. Of nee, naar Real Madrid. Of Barcelona. Ergens waar het warm is. Waar het niet altijd regent.'

Hij is even stil. Dan zegt hij opgewonden: 'Hé! Ik heb een supergoed idee. Maar dan hebben we wel een video nodig. Hebben jullie een video?'

Matteo antwoordt niet. Hij staart naar buiten. Maar hij ziet niet het verlaten schoolplein. De duwkar die eenzaam in de regen staat. Hij ziet niet de oude mevrouw die zich op de fiets tegen de wind in vecht.

Hij ziet felle stadionlichten onder een diepzwarte hemel. Hij ziet een tribune vol zwaaiende, dansende mensen. Hij hoort ze schreeuwen, juichen, zingen. En het is alsof hij vleugels heeft. Hij rent in de richting van het doel, de bal aan zijn voet. Een tegenstander komt op hem af. Matteo pakt de bal over met zijn andere voet, wijkt uit naar rechts en rent verder.

Een nieuwe tegenstander komt op hem af, probeert hem te tackelen. Matteo springt over een uitgestoken been en gaat verder alsof er niets gebeurd is. Het gejuich vanaf de tribune zwelt aan. Vlak bij het doel lopen drie verdedigers hem vast. Matteo draait, zijn voet op de bal, zoekt naar een opening en –

'Hallo! Hallo!' Gijs zwaait met twee handen voor Matteo's gezicht. 'Aarde aan Matteo! Heb ik contact?'

Matteo knippert met zijn ogen. 'Hè? Wat? Wat is er?'

'Of jullie een videocamera hebben.'

'Een videocamera? Nee, dacht ik niet. Hoezo?'

'Om onszelf te filmen, natuurlijk. Als we voetballen.'

'Waarom zouden we onszelf moeten filmen?'

Matteo kijkt Gijs niet-begrijpend aan.

Gijs schudt zijn hoofd. 'Zodat we onszelf
ook op YouTube kunnen zetten, dombo!'

'Je bedoelt, zodat ze ons ook gaan scou-
ten? Goed idee!'

'Ja. Behalve dat we dus geen videocamera
hebben.'

Matteo bijt op zijn nagel. Dat is een probleem. Hoe komen ze aan een videocamera?

Ineens schiet hem iets te binnen. 'Hé! We vragen gewoon of Jelle zijn mobieltje meeneemt. Daar zit een video in, toch?'

'Goed idee!' Gijs wrijft in zijn handen. 'En zullen we Tiani dan ook vragen?'

'Tuurlijk.'

'Ik ga mijn superakka doen, denk ik.'

Matteo grinnikt. 'O ja. Leuk. Gaan we al je bloopers op internet zetten.'

'Hoe bedoel je?' zegt Gijs. Hij zwaait dreigend met zijn vuist.

'Nou, al die keren dat je op je plaat gaat. Ik zou nog effe oefenen op die akka van je.'

Er klinkt gelach en gepraat op de gang. En de stem van meester Friso. 'Wat heb ik gezegd? Zachtjes op de gang!'

Gijs geeft Matteo een por. 'We praten zo meteen effe met de rest, oké?'

Matteo knikt. 'Oké.'

De dag gaat langzaam voorbij. Taal. Rekenen. Topo. Matteo heeft moeite zijn aandacht bij de plaatsnamen van Friesland te houden. Wijnjewoude, Wolvega, Tietjerk ...

Steeds dwalen zijn gedachten af. Naar die jongen uit Zwolle, die zomaar een contract heeft gekregen bij AC Milan.

Stel je voor dat het hém zou overkomen. Dat híj gescout zou worden. Het gebeurt natuurlijk niet. Vast niet. Maar stel je voor ...

Wat zouden papa en mem doen? Zouden ze net zo aardig zijn als de vader en moeder van die jongen? Zouden ze zomaar hun werk opzeggen en meegaan naar Italië?

Nee. Dat zouden ze nooit doen.

Of toch?

Italië is natuurlijk wel papa's vaderland. Zijn hele familie woont er. *Nonno* en *nonna*[1] zouden het geweldig vinden als ze in de buurt zouden komen wonen. Als ze hen vaker zouden zien dan twee keer per jaar. Papa's broers en zussen ook. Ze zouden hen met open armen verwelkomen.

Maar wat zouden Ramona en Valentina vinden? Matteo legt zijn hoofd op zijn armen. Zijn twee zusjes zouden nog wel eens voor problemen kunnen zorgen. Die willen vast niet weg uit Heerenveen. Die kunnen hun balletgroep en hun zwemclub en hun blokfluitgroep vast niet missen.

'Matteo', zegt meester Friso. Zijn stem klinkt verdacht vriendelijk.

Matteo schiet overeind. 'Ja, meester?'

'Jij hebt Friesland al zo goed in je hoofd dat je niet meer hoeft op te letten?'

'Nee, meester, echt niet.'

'Kom op, niet zo bescheiden.' Meester Friso begint zijn vingers te knakken.

'Kom even voor de klas. Wijs jij Moddergat eens aan.'

1 opa en oma

Akka 3000
Vette truc voor gevorderden.
Wip de bal op met je voorvoet.
Verander snel van standbeen.
Vang de bal achter je rug op met je
enkel.
Draai snel een rondje.
Laat ondertussen de bal naar je voor-
voet glijden.
Schiet!

Geert-Arend Roorda over trucjes op
het voetbalveld:
Als je een trucje doet, zorg dat je hem
echt beheerst en dat-ie effectief is
zodat je verder kunt! Want daar gaat
het om.

3 slidings mogen niet

et is al vier uur geweest als Matteo en Gijs eindelijk naar
huis mogen. Tiani en Jelle hebben gewacht. Ze zijn aan
het overschieten op het lege plein.

'En?' vraagt Jelle, terwijl hij de bal oppakt. 'Hoe was het?'

'Super', zegt Matteo. Hij steekt zijn duim op.

'Ja, toppie', roept Gijs. 'Heel gezellig.'

'Wat moesten jullie doen?'

Matteo haalt zijn schouders op. 'Gewoon. Stoelen op de tafels
zetten. Bord schoonmaken. Hamsterhok uitmesten.'

'En we kregen nog een preek, natuurlijk', voegt Gijs eraan toe.
Hij haalt een koek uit zijn jaszak, scheurt het papier eraf en
neemt een grote hap.

Tiani lacht. 'Je bent echt onder de indruk, zie ik.'

'Ik sidder van angst.' Gijs propt de rest van de koek in zijn mond.
'Zullen we gaan?'

Jelle houdt zijn mobieltje op. 'Ik ben er klaar voor.'

'Wacht effe', aarzelt Matteo. 'Ik zit te denken, hè ... Kunnen we
het niet een week uitstellen? Ik wil eigenlijk eerst mijn spreekbeurt maken.'

'Kom op, man!' zegt Jelle verbaasd.

'Ja, kom op!' zegt Gijs. 'Wat is er nou belangrijker? Een spreekbeurt of een voetbalcarrière?'

Matteo zucht. 'Ja, kijk, ík vind dat voetbal belangrijker is, natuurlijk. Maar volgens mij vindt mijn moeder dat niet. En mijn vader

ook niet. Ik moet wel een voldoende halen voor die spreekbeurt.'
Tiani pakt Matteo bij zijn jas en schudt hem door elkaar.
'Halloohoo! Matteo! Als je een voldoende wilt, moet je júist gaan
voetballen. Je spreekbeurt gaat toch over voetbal? Dit is gewoon
onderzoek, man.'
'En trouwens', bedenkt Gijs. 'Als we nú een filmpje maken, kun
je morgen al gescout zijn. Hoef je die spreekbeurt niet eens
meer te houden.'
'O ja. Natuurlijk.' Matteo slaat met een hand tegen zijn voorhoofd. 'Dom van me. Daar had ik effe niet aan gedacht. Ik krijg
morgen vast al de eerste aanbiedingen. En volgende week ga ik
verhuizen. Sorry, meester, van m'n spreekbeurt. Ik kan hem niet
meer houden. Ik moet meteen naar Milaan. Ze hebben me drin-
gend nodig!'
'Precies!' roept Gijs. 'Zo moet je denken. Kom je nog of niet?'
Matteo rilt. Een verdwaalde regendruppel valt in zijn nek. De
wind blaast door zijn jas heen. Het is veel te koud voor maart.
Het lijkt wel of de winter nooit ophoudt. Matteo kan maar één
manier bedenken om weer warm te worden.
'Oké. Ik ga mee. Eventjes dan.'

Met z'n vieren fietsen ze naar het trapveldje. Ondanks het slech-
te weer zijn er meer jongens aan het voetballen. Matteo kent ze
van gezicht. Het zijn D-spelers van een andere voetbalclub. Op
zaterdagen komen ze elkaar wel eens tegen.
'Partijtje?' vraagt hij.
'Oké', zegt een van de jongens.
'Pispoten?' stelt Gijs voor.
'Nee', zegt een stevige jongen met rood haar. 'Wij tegen jullie.

Wij willen geen meisje.'

'Volgens mij denken ze dat je niet kunt voetballen, Tiani', zegt Matteo.

'Oké', zegt Tiani. Ze wrijft in haar handen. 'Dan zit er niks anders op dan dat we ze verslaan.'

De jongens barsten in lachen uit. 'Haha!'

'Wou je ons verslaan?'

'Misschien moeten we gaan hinkelen, jongens? Dan hebben ze misschien een kans.'

Voor de jongens het door hebben, is Tiani al weg met de bal. Matteo rent met haar mee. Tiani passt, Matteo neemt de bal aan en schiet hem tussen twee jassen door. 'Eén-nul!' roept hij.

'Hé!' roept de jongen met het rode haar. 'Da's niet eerlijk! We waren nog niet begonnen!'

'Maar wij wel!' roept Tiani. 'Hé, Jelle, wat doe je in het veld? Jij zou filmen.'

'Gaat niet', roept Jelle. 'Anders is het drie tegen vijf.'

Matteo knijpt zijn ogen halfdicht. In de verte ziet hij een trimmer aankomen. 'Wacht even', zegt hij. 'Mag ik je mobieltje, Jelle?'

'Ja hoor. Vang.'

Met het mobieltje in zijn hand rent Matteo naar de trimmer toe. 'Meneer, meneer', roept hij. 'Hebt u effe tijd? Zou u ons willen filmen?'

De trimmer, een lange jongeman, houdt even in. 'Sorry?' zegt hij verbaasd.

Matteo staat hijgend stil. 'Ja, want we willen graag gescout worden. En nu wilden we elkaar filmen, maar we moeten die grote jongens effe inmaken, en die zijn met vijf en wij maar met vier.

Dus zou ú ons misschien kunnen filmen? Want dan zetten we het filmpje op YouTube, snapt u? Net als die jongen uit Zwolle. Die had dat ook gedaan, en die mag nu naar AC Milan.'

'Matteo!' schreeuwt Tiani. 'Wat sta je daar te leuteren! Hé – maar ...'

Tiani blijft midden op het veld stilstaan, haar voet op de bal. Haar mond valt open van verbazing. ' ... maar dat is –'

'Geert-Arend Roorda!' roept Gijs.

Matteo slaat zijn hand voor zijn mond. Hij wordt helemaal warm. O nee. Gijs heeft gelijk. Het is Geert-Arend Roorda, de middenvelder van SC Heerenveen. Dat hij dat niet meteen gezien heeft! Dat hoge voorhoofd, het halflange, donkere, krullende haar ...

'O, sorry!' stamelt Matteo met een rood hoofd. 'Sorry, meneer Roorda. Ik had u niet gelijk herkend.'

'Geeft niks', zegt Geert-Arend. 'Ik had jou ook niet herkend.' Hij steekt zijn hand uit. 'Hallo. Ik ben Geert-Arend.'

'Eh ... ik ben Matteo', zegt Matteo. Hij slikt. Heeft hij nou net aan Geert-Arend Roorda gevraagd om hen te filmen? Wat een flater. Hij kan wel door de grond zakken.

'Wat vroeg je nou?' zegt Geert-Arend. 'Of ik jullie kon filmen? Geef maar hier, dat ding. Hoe werkt-ie? O ja, ik zie het al. Ga jij het veld maar op. Ik kom er wel uit.'

Matteo rent naar Tiani toe.

'Wat deed je, man!' sist die hem toe.

'Ik vroeg of hij ons kon filmen.'

'Geert-Arend Roorda?'

'Hé!' roept de jongen met het rode haar. 'Komt er nog wat van?'

De D-spelers worden ineens fanatiek, nu ze doorhebben dat er een echte voetballer naar hen kijkt. Ze laten geen bal gaan. Matteo, Jelle, Gijs en Tiani spelen zo goed ze kunnen. Maar hun tegenstanders zijn te sterk. Binnen vijf minuten staat het drie-één.

'Was dit wel zo'n goed idee?' hijgt Jelle, terwijl hij Matteo voorbij rent.

Matteo antwoordt niet. Hij stormt op de jongen met het rode haar af, maakt een sliding en schopt de bal onder zijn voeten uit. De jongen valt dwars over hem heen. Gijs gaat er met de bal vandoor.

'Hé!' schreeuwt de jongen boos. Hij staat op en veegt zijn bemodderde handen af aan zijn broek. 'Dat was een sliding.'

'So?' hijgt Matteo. Hij springt overeind en wil wegrennen. Maar de jongen grijpt hem bij zijn trui.

'Slidings mogen niet.'

Matteo rukt zich los. 'Wat een onzin! Het was een sliding op de bal!'

'Goal!' schreeuwt Gijs vanuit de verte. Hij rent rond, zijn armen in de lucht. Tiani en Jelle geven elkaar een high five. Drie-twee!

Nog geen minuut later breekt Matteo door de verdediging en scoort de gelijkmaker. Drie-drie.

'Ik kap d'r mee', roept de jongen met het rode haar. 'Laten we naar huis gaan.'

'Oké', roepen de anderen terug.

'Hallo!' zegt Tiani verontwaardigd. 'Je kunt toch niet zomaar stoppen!'

'Jawel hoor', zegt de jongen. 'Geen enkel probleem.'

Tiani zet haar handen in haar zij. 'Ha. Bang om te verliezen, zeker.'

De jongen met het rode haar grijnst. 'Geen zin om E-tjes in de pan te hakken. Dat vinden wij oneerlijk. Hè, jongens?'

De andere jongens knikken. 'Precies.'

'Wij winnen liever van gelijken.'

'Die is goed!' roept Gijs verontwaardigd. 'Nog tien minuten, en jullie hadden achtergestaan.'

De jongens barsten in lachen uit. 'Ja hoor. Droom maar lekker verder.'

'Dan moeten jullie toch effe wat beter worden.'

'Nóg beter?' zegt Tiani. Ze wipt de bal op met haar voet, draait zich razendsnel om, en schiet de bal weg met haar andere voet. Een perfecte akka.

'Pff', zegt de jongen met het rode haar. 'Dat kan m'n kleine zus-je ook.'

'Echt waar?' zegt Matteo. 'Dan durf je vast niet tegen haar te voetballen.'

De jongen gromt iets onverstaanbaars. Samen met zijn vrienden loopt hij het veld af.

'WATJES!' schreeuwt Tiani ze na.

Matteo rent naar Geert-Arend Roorda toe. Die laat het mobieltje net zakken. 'Dat was een korte wedstrijd', zegt hij.

'Ze hadden geen zin meer.'

'Jammer. Jullie begonnen net aardig te spelen. Hier. Je mobieltje. Er zaten een paar mooie acties bij. Die sliding van jou was goed. En die akka van dat vriendinnetje van je. Het had nog wel eens heel spannend kunnen worden.'

23

'Dank u.'

'Veel succes ermee. Stuur me een kaartje uit Milaan.'

Matteo lacht. 'Doe ik. Zeker weten. Bedankt hè!'

De regendruppels slaan in zijn gezicht. Maar hij merkt het niet. Roerloos blijft hij staan, terwijl de lange voetballer in de verte wegjogt. Stuur me een kaartje uit Milaan, zei Geert-Arend. Zou hij dat echt gemeend hebben? Denkt hij echt dat ze kans maken?

'Hé, Matteo!' zegt Gijs. Hij slaat Matteo op zijn schouder. 'Ga je mee? Dan gaan we naar Jelles huis. We moeten het filmpje op internet zetten.'

Slidings

Mogen ze nou wel of niet?
Nette moeders zullen zeggen dat ze
nóóit mogen. Dat is natuurlijk onzin.
Slidings horen erbij.
Maar zorg ervoor dat je bij een sliding
alleen de bal raakt. Niet de benen van
je tegenstander. Het kan best zijn dat je
tegenstander toch valt. Maar je hebt
geen overtreding gemaakt.

4 Vreselijke Italiaanse mannen

'Papi', zegt Matteo, 's avonds na het eten. Hij gaat naast zijn vader op de bank zitten. 'Vond jij het erg om te verhuizen?'

'Hm?' Papa kijkt niet op. Met een zwarte pen schrijft hij snel iets op het schermpje van een Nintendo DS.

'Je moet papa niet storen!' waarschuwt Valentina. 'Hij is zijn hersenleeftijd aan het testen.'

'Gisteren was hij tachtig', zegt Ramona. 'Hè, papi?'

'O, je doet Brain Age', ziet Matteo. 'Zal ik effe helpen?'

'Niet nodig', mompelt papa, al schrijvend.

'Maar ik ben er goed in.'

'Nee.'

Matteo grijpt naar zijn hoofd als hij ziet wat papa opschrijft. 'Nee, pap. Niet twee! Hoe kom je nou bij twee! Het is vijftien! Vijf maal drie is vijftien.'

'Niet voorzeggen.' Papa knijpt zijn ogen dicht. 'Dertien min zeven. Dertien min zeven. Dertien min zeven ...'

'Zes!' zegt Matteo. 'Zes! Dertien min zeven is zes!'

'Hè! Matteo! Niet voorzeggen. Ik wil het zelf doen.'

Matteo rolt met zijn ogen. Maar hij bedwingt zich en zegt niets. Zelfs niet als papa fouten maakt.

'En?' vraagt hij, als het spelletje klaar is. 'Wat is je hersenleeftijd?'

'Achtenzeventig', gromt papa.

'Je bent vooruit gegaan!' roept Valentina enthousiast. 'Goed zo, pap!'

'Helemaal niet goed. Achtenzeventig. Ik ben een ouwe vent.' Papa legt de DS naast zich in de vensterbank. Mistroostig staart hij voor zich uit.

Matteo klopt op zijn vaders dikke buik. 'Echt niet, pap. Je moet dat spelletje gewoon vaker doen. Ik was de eerste keer ook zestig jaar.'

'Echt waar?' Papa lijkt weer een beetje opgevrolijkt. 'En nu?'

'Nu ben ik vierenveertig. Precies goed. Hé, maar pap. Wat ik vragen wou. Vond jij het erg om te verhuizen?'

'Te verhuizen?'

'Ja. Vroeger. Toen je van Italië naar Nederland ging verhuizen.'

'Hoe kon papa dat nou erg vinden', zegt Valentina verontwaardigd. Ze steekt haar armen in de lucht. 'Hij ging achter mem aan.'

'Hij was in de ban van de liefde', verzucht Ramona. 'Niets kon hem tegenhouden.'

'Hij volgde de stem van zijn hart', gaat Valentina verder.

'Hij zwééfde naar Nederland.'

Matteo steekt zijn vinger in zijn mond. 'Braak.'

'Ah, kom op', zegt Ramona. 'Over een paar jaar ben jij ook verliefd, hoor.'

'Is-ie al', giechelt Valentina. 'Op dat meisje van voetbal, hoe heet ze – '

'Hé, pap', valt Matteo zijn zus snel in de rede. 'Moeten Ramona en Valentina niet naar bed?'

Papa kijkt naar de klok. 'Dank je, Matteo. Dames? Het is al lang acht uur geweest. Naar boven, jullie. Vóór mem thuiskomt.'

'Bedankt', snauwt Ramona.

Matteo glimlacht breed. 'Graag gedaan.'

Als zijn zusjes de kamer uit zijn, draait hij zich naar papa. 'Maar hoe vond je het nou, pap? Om te verhuizen?'

Papa lacht. 'Dat weet je nu toch? Ik vond het prima. Ik volgde de stem van mijn hart. Ik zweefde naar Nederland.'

'Ja, vast wel, met die dikke buik van je. Ik wed dat je de hele tijd tegen de grond stuiterde. Net als zo'n grote luchtballon waar te weinig lucht in zit.'

Papa geeft Matteo een por. 'Pas op, hè, ventje! Vergelijk me niet met een luchtballon. Ik was echt broodmager in die tijd! Broodmager!'

'Ja, hoor. Ik heb de foto's heus wel gezien hoor, van jou vroeger. Hé, maar hoe vond je het nou écht om te verhuizen?'

'Echt?' zegt papa. Hij laat zich onderuitzakken en vouwt zijn handen over zijn buik. 'Ik vond het prima.'

'Miste je Italië niet?'

'In het begin wel. Maar toen we hier een paar maanden waren en vrienden kregen – nee. Niet echt.'

'Maar vond je het dan niet leuk in Italië? Ik bedoel, verlang je er nooit naar terug?'

Papa haalt zijn schouders op. 'Soms wel. Het is een mooi land. En mijn vader en moeder wonen er natuurlijk.'

'Het is helemaal niet leuk voor *nonno* en *nonna*, hè. Dat we zo ver weg wonen. Ze zien ons bijna nooit.'

'Minder vaak dan ze zouden willen', geeft papa toe.

'Ik zou het niet erg vinden, hoor. Als we naar Italië gingen verhuizen.'

'Naar Italië verhuizen?' Papa kijkt verbaasd. 'Hoe kom je daar nou bij? We gaan helemaal niet naar Italië verhuizen.'

'Maar stel je nou voor ...'

Papa gaat overeind zitten. 'Wát, Matteo?'

'Nou, dat ik bijvoorbeeld bij een goeie voetbalclub zou kunnen gaan spelen. Een Italiaanse. Zoals – nou ja, er is dus een jongen hè. Een jongen uit Zwolle. Frank Molenaar. En die had een filmpje op YouTube gezet van hoe goed hij kon voetballen. En nu is hij gescout door AC Milan.'

'Wát is er gebeurd met die jongen?' vraagt papa ongerust.

'Hij is gescout.'

Papa slaat met zijn vuist op zijn knie. 'Zie je wel! Ik heb je gezegd dat je op moet passen met dat internet!'

'Papi! Hij is gescout! Niet ontvoerd of zo!'

'Wat ís gescout?'

Matteo zucht. 'Dat je ontdekt wordt, pap. Door scouts. Dat zijn mensen die op zoek zijn naar goeie voetballers. Voor hun voetbalclub. Snap je? Nou, en die Frank Molenaar is dus gescout, en nu verhuizen zijn vader en moeder gewoon naar Italië. Zodat hij een voetbalopleiding kan krijgen bij AC Milan.'

Papa schiet in de lach. '*Sono pazzi!*[2] Dat is belachelijk.'

'En ze zíjn niet eens Italiaans', gaat Matteo verder. 'Het zijn gewone Nederlanders. Maar ze geven alles op voor de droom van hun kind.' Hij grijpt

2 Die zijn gek!

29

het *Friesch Dagblad* van tafel en duwt het onder papa's neus. 'Lees zelf maar. Kijk. Hier.'

Papa leest het kleine berichtje. En hij begint steeds harder te lachen. Hij slaat zichzelf op zijn knieën.

'Haha! Hahaha! Die is goed! *Voor de droom van onze zoon hebben we alles over.*'

'Wat is er zo grappig?' roept mem. Ze komt door de achterdeur naar binnen. Spidi stuift blaffend voor haar uit.

'Matteo wil wel naar Italië verhuizen, zegt-ie.' Papa veegt de lachtranen uit zijn ogen. 'Zodat hij bij AC Milan kan gaan voetballen. Net als zijn vriendje Frank.'

'Het is mijn vriendje niet', zegt Matteo verontwaardigd. 'Ik ken hem niet eens. En waarom zou ik niet bij AC Milan kunnen voetballen? Ik ben hartstikke goed.'

'Tuurlijk. Je bent geweldig. Maar blijf jij maar lekker bij VV Heerenveen voetballen. Lijkt me een stuk gezonder.'

'Ja, alsjeblieft', zegt mem. 'Je denkt toch niet dat ik naar Italië ga verhuizen? *Ik moat der net oan tinke.*3 Die vreselijke Italiaanse mannen.'

'Hé!' zegt papa beledigd. Hij gooit een kussen in mems gezicht. '*Fa attenzione!*'4

Matteo staat op en loopt naar de deur.

'Waar ga je naartoe?' vraagt mem lachend.

'Naar bed.' Met een klap trekt Matteo de deur achter zich dicht. Hij stampt de trap op.

'WELTERUSTEN!' schreeuwt hij over zijn schouder.

Stomme papa. Gemene mem.

---

3 Ik moet er niet aan denken.
4 Pas op, jij!

Waarom doen ze zo stom? Wat is er mis met Italië? Waarom zouden ze er níet gaan wonen?

Italiaans kunnen ze al spreken. Dus dat is geen probleem. En werken is ook geen probleem. Papa kan net zo goed vioolles gaan geven in Italië. En mem kan dáár huizen gaan verkopen. *Nonno* en *nonna* zouden het geweldig vinden als ze in de buurt zouden wonen. En de rest van de familie ook.

Matteo gaat de badkamer in en begint driftig zijn tanden te poetsen.

Nou ja. Dan gaan ze toch niet mee? Dan gaat hij wel alleen. Gaat hij gewoon bij *nonno* en *nonna* wonen. Of bij oom Lorenzo en tante Maria. Die wonen in Milaan. Nog veel beter.

Matteo laat zijn tandenborstel zakken. De tandpasta druipt langs zijn kin. Vanuit de spiegel kijken twee boze ogen hem aan. Wacht maar tot het filmpje klaar is. Wacht maar tot het op YouTube staat.

Wacht maar tot hij gebeld wordt door AC Milan.

Dan zullen ze zien dat hij het meent.

Tip:
Op het eiland Kalimantan (Indonesië) wordt soms gevoetbald met een brandende kokosnoot.
Handig als het donker wordt: de bal is altijd goed te zien.
Er worden veel goals gemaakt. De keepers doen niet al te goed hun best om de bal tegen te houden.

5 Roorda is een superfries

'Ik ga níet verhuizen!' sist een boze stem.

Matteo schiet overeind. Aan zijn voeteneind staat een donkere schim. 'Huh?' zegt hij geschrokken. 'Wat is er?'

'Dat zeg ik toch!' Valentina geeft een trap tegen het bed. 'Ik ga NIET verhuizen! Au. M'n voet.'

'Hoepel op', fluistert Matteo boos. 'Ik slaap al bijna.' Hij laat zich weer achterover vallen en trekt het dekbed over zijn gezicht. Iets zwaars gaat op zijn benen zitten. Het bed kraakt.

'Ben je gek geworden of zo?' fluistert Valentina. 'Stiekem aan papa vragen of we gaan verhuizen? Ik heb het wel gehoord!'

Matteo komt onder het dekbed vandaan. 'Je hebt staan afluisteren.'

'Nee! Ik hoorde het gewoon.'

'Toen je toevallig met je oor tegen de deur aan leunde, zeker. Nou, maak je geen zorgen. We gaan helemaal niet verhuizen.'

'O nee?'

'Nee. En nou opgehoepeld.'

Valentina slaat het dekbed open en kruipt dicht tegen Matteo aan.

'Ga weg', gromt Matteo. Hij schuift naar de muur toe.

'Nee. Ik blijf. Ik wil het weten. Waarom wil je nou ineens verhuizen? Vind je het hier niet leuk?'

Matteo staart naar het schuine plafond. Buiten klinkt het geluid van een auto die het woonerf op draait. Het licht van de koplampen flitst langs de muur voorbij. Heel even zijn ze om de beurt zichtbaar: de spelers van sc Heerenveen, het Nederlands elftal, Jong Oranje.

Valentina port Matteo in zijn zij. 'Zeg nou.'

'Wat?'

'Waarom je naar Italië wil!'

'Om te voetballen, natuurlijk.'

'Voetballen? Maar dat kan hier toch ook!'

'Nee. Dat kan hier niet.' Matteo gaat overeind zitten, zijn rug tegen de muur, zijn knieën opgetrokken. Hij moet zorgen dat Valentina het begrijpt.

'Ik wil niet gewoon maar een beetje voor de lol voetballen. Ik wil écht voetballen. Bij een echte club. Net als – nou, kijk, er is dus een jongen in Zwolle, en die kan heel goed voetballen. En toen heeft zijn vader een filmpje van hem op internet gezet. En scouts hebben dat gezien. En nu mag hij bij AC Milan spelen.'

'Huh? En hoe oud is hij?'

'Acht.'

'Oh! En moet hij dan met al die grote mannen meespelen? Is dat niet gevaarlijk? Ze lopen hem zo omver.'

Matteo zucht. Meisjes kunnen ook zo dom zijn. 'Neehee. Hij gaat nog niet gelijk in het eerste, natuurlijk. Hij moet eerst de voetbalopleiding doen. Maar die krijgt hij daar in Milaan, snap je? En dan krijgt hij training van echte proftrainers. En dat is natuurlijk veel beter dan op een gewone club. Je moet heel veel trainen, en je wordt steeds beter en beter. En als je goed genoeg bent, dan kom je in het echte team terecht.

Hé! Trouwens. Weet je wie ik vandaag gezien heb?'

'Nee.'

'Geert-Arend Roorda!'

'Eh ... wie is dat?'

'Jij weet ook echt niks, hè. Een voetballer! Geert-Arend Roorda is
een voetballer. Van Heerenveen. Een hele goeie. Hij is nog maar
twintig, maar hij heeft zelfs al interlands gespeeld. Voor Jong
Oranje, snap je? Dus dan hoor je bij de besten van Nederland.
En hij speelt nu voor Heerenveen. Hij is middenvelder. En dan
ben je goed, man, als je middenvelder bent. Want dan moet je
alles kunnen. Je moet de aanvallers helpen, én de verdedigers.'

Matteo is even stil.

'Hé! Wacht even ... Ik heb ineens een heel goed idee.'

'Wat?'

'Nou, ik ga gewoon aan Geert-Arend Roorda vragen of hij mij
kan helpen.'

'Om lid te worden van AC Milan?'

'Duhuh. Tuurlijk niet. Ik ga vragen of ik hem mag interviewen.
Voor mijn spreekbeurt. Over hoe híj voetballer geworden is. Ja.
Dat ga ik doen.'

Tevreden kruipt Matteo weer in bed. Zachtjes zingt hij voor zich
uit:

'Róórda is een Superfries,

Róórda is een Superfries,

ja lalalalala ...'

De deur van de slaapkamer gaat open. Een streep licht valt de
kamer binnen. Valentina springt snel uit bed.

'Ik tocht al dat ik wat hearde',[5] zegt mem boos. 'Wat
zijn jullie aan het doen, midden in de nacht?'

5 Ik dacht al dat ik wat hoorde.

34

'Valentina maakte me wakker', zegt Matteo.

'Oh, niet!' zegt Valentina verontwaardigd. Ze geeft Matteo een stomp. 'Ik wou alleen maar weten of we gingen verhuizen.'

'De enige die hier gaat verhuizen ben jij', zegt mem. 'Schiet op. Naar je bed. *Binne jimme no hielendal gek wurden?'*[6]

Valentina gaat snel de kamer uit. Mem buigt zich over Matteo heen en geeft hem een boze zoen. 'Slapen, jij.'

'Ja, mem.'

De deur gaat dicht. Het is weer donker. Matteo draait zich op zijn zij. Sc Heerenveen traint op het voetbalveld vlak bij school. Elke morgen om kwart over tien. Als hij nou aan meester vraagt of hij er even naartoe mag ...

Hij moet Geert-Arend vragen hoe hí́j voetballer geworden is. Hoe het hem is gelukt om in de selectie te komen. Hoe hij het gedaan heeft met school. En of zijn vader en moeder ook alles voor hem over hadden ...

Matteo's supergoeie tip voor spelers met een hoofdwond:
kop niet als je een 6 centimeter lange hoofdwond en tien hechtingen hebt. Dat kan nogal pijnlijk zijn. En ook kan de wond weer opengaan.

6 Zijn jullie nu helemaal gek geworden?

6 Superdesuper cool

'S Ochtends vroeg, nog voor de bel gaat, staat Matteo al bij
meester Friso in de klas. Hij legt hem uit wat hij van plan is.
Als hij uitgepraat is, schudt meester zijn hoofd.
'Sorry, Matteo. Maar dat doe je maar na schooltijd.'
'Ja, maar meester', zegt Matteo. 'Dat kan echt niet. Dan is de training al lang afgelopen. Dan zijn ze allemaal al lang weer weg.'
Smekend kijkt hij meester aan. 'U wou toch een bijzondere
spreekbeurt? En nu heb ik wat bijzonders bedacht, en nu mag
het niet.'
Meester tikt met zijn pen op zijn bureau. 'Je kunt die Roorda-
jongen toch wel even opbellen?'
'Néé. Nee, dat kan niet, meester. Die spelers zijn hartstikke
beroemd. Die hebben allemaal geheime telefoonnummers. Dus
– en ...'
Matteo haalt diep adem. Hij moet het goed zeggen. Hij moet zorgen dat meester het begrijpt. 'Het is echt niet om tijd te verspil-
len, meester. Dit is gewoon mijn enige kans. En het duurt maar
heel even. Ik hoef alleen maar even naar sportpark Skoatterwâld
te sjezen, en hem te vragen of ik hem mag interviewen. Ik ben zo
weer terug.'
Meester Friso gooit zijn armen in de lucht. 'Oké, oké! Toe dan
maar. Ga maar. Hoe laat, zei je?'
Matteo kan zijn oren niet geloven. Meester vindt het goed!
'Kwart over tien begint de training. Dus dan moet ik om vijf over

tien weg. Ik moet er zijn als ze het parkeerterrein op komen. Snapt u?'

'Ik hoop wel dat je dit voor je houdt', zegt meester Friso. 'Het is niet handig als meester Lieuwe dit hoort. Dat ik jou onder schooltijd naar het voetbalveld laat gaan.'

Hij sluit zijn ogen en wrijft over zijn hoofd. 'O nee. Wat doe ik? Ik moet wel gek zijn.'

'Nee, helemaal niet, meester', zegt Matteo snel. 'U bent niet gek. Helemaal niet. U bent juist ontzettend aardig. Enne, heel goed voor uw leerlingen. Ik zorg echt dat ik zo snel mogelijk weer terug ben. En ik ga al mijn werk inhalen. En ik ga ook nooit meer op de computer naar filmpjes kijken. Eerlijk waar. Ik meen het.'

'Dat is je geraden', zegt meester. 'En nu wegwezen.'

Matteo rent naar buiten. Gijs, Jelle en Tiani staan op het plein te wachten.

'En?' vraagt Tiani. 'Mag het?'

Matteo kijkt om zich heen. 'Ik mag er niks over vertellen', fluistert hij. 'Anders wordt meester nog ontslagen. Het is hartstikke verboden wat hij doet.'

'Dus het mag?'

'Ja! Aardig hè?'

'Echt superdesuper cool!'

'Zie je wel dat hij soms best aardig kan zijn!'

Jelle stoot hem aan. 'Hé. Heb jij nog op YouTube gekeken, vanmorgen?'

Matteo schudt zijn hoofd. 'Nee.'

'Er hebben al vier mensen naar ons filmpje gekeken.'

'Vier mensen nog maar?' zegt Matteo ongelovig.

'Ja – nou, eigenlijk drie. Want ik heb gisteravond nog even met mijn broer gekeken.'

'Twee', zegt Tiani. 'Want ik heb het aan mijn vader laten zien.'

'Eén', zegt Gijs met een schuldig gezicht. 'Ik heb ook nog effe gekeken, thuis.'

'Dus er heeft maar één iemand ons filmpje bekeken?' zegt Matteo. 'Eén iemand van de hele wereld?'

Jelle krabt aan zijn nek. 'Eh ... ja. En die heeft er ook nog onder gezet: leer voetballe kaaskoppe.'

'Wát?' roept Tiani. 'Wat onbeleefd!'

'Gewoon jaloers natuurlijk', zegt Jelle.

'Misschien is het slimmer om gewoon een mailtje naar AC Milan te sturen', peinst Matteo. 'Met een link naar ons filmpje. En dan zetten we erbij: klik hier.'

'Ja!' zegt Tiani. 'Klik hier als u uw toekomstige kampioenen wilt zien.'

'Wees er snel bij!' zegt Jelle.

Gijs grinnikt. 'Ja, want anders gaan ze naar de concurrent.'

De bel gaat. Met z'n vieren lopen ze naar de deur.

'Dus jij gaat AC Milan een mailtje sturen?' vraagt Gijs.

Matteo knikt. 'Zodra ik thuis ben.'

Matteo heeft grote moeite om zijn aandacht bij de les te houden. De gedachten stuiteren als pingpongballen door zijn hoofd. Als Geert-Arend maar niet boos wordt. Misschien baalt hij er wel van als er wéér een kind hem lastig komt vallen. Neeee. Zo is hij niet. Wat moet hij zeggen? Hé, hallo, kunt u mij helpen met mijn spreekbeurt? Hé, Geert-Arend, kan ik je interviewen? Ik heb een paar vragen, kun je mij helpen? Nee, kunt ú mij helpen? Matteo laat zijn hoofd op zijn armen zakken. Dat mailtje ... Misschien moet hij het niet alleen naar AC Milan sturen, maar ook naar andere clubs. Roma, Madrid, Barcelona, Chelsea, Arsenal. Die hebben ook allemaal een voetbalopleiding, natuurlijk. Dat is veel slimmer. Dan hebben ze meer kans.

Misschien krijgen ze wel meer uitnodigingen. Wat zou hij kiezen? Als hij een uitnodiging van Milaan zou krijgen, zou het niet moeilijk zijn. Maar als hij zou moeten kiezen tussen Madrid en Chelsea ...

'Matteo? Matteo, slaap je?'

Matteo schiet overeind. 'Nee, meester. Nee, echt niet. Ik slaap niet. Ik denk.'

De hele klas lacht.

'Goeie', roept Arif. 'Ga ik voortaan ook zeggen. Stoor me niet, ik denk.'

'Kun je ook denken met je ogen open, misschien?' zegt meester. 'Dan weet ik tenminste zeker dat je wakker bent. Kijk even mee naar het bord, allemaal. Hier staan alle woorden uit het woord-pakket van deze week. Ik wil dat jullie daar een opstel mee maken.'

botbreuk – bewusteloos – paniek – ambu-
lance – sirene – brancard – assistente –
wachtkamer – onmiddellijk – specialist –
voortvarend– injectienaald – verdovend –
bloed

Matteo tikt met zijn pen tegen zijn tanden. Wat een suffe woor-den. Hoe moet hij daar ooit een opstel mee maken?

Ineens heeft hij een idee. Natuurlijk! Dat hij dat niet meteen zag. Hij begint snel te schrijven.

De voetballer was in paniek.
Want hij zag de asistent van de hoofdtrainer
aankomen.
En hij dacht, o nee, nu word ik uit het team
gegooid (want hij had al een paar wedstrijden
niet gescoord)

Maar gelukkig had hij heel <u>voortvarend</u> wat bedacht.

Uit zijn zak haalde hij een <u>injectienaald</u>.

Daar zat een <u>verdovend</u> middel in dat ze ook gebruiken voor tijgers.

De voetballer zei hallo tegen de <u>asistent</u>.

En stak de <u>injektienaald</u> in zijn schouder!!

De <u>asistent</u> viel <u>bewusteloos</u> op de grond.

Zijn ene bot stak uit zijn been dus hij had een <u>botbreuk</u>. Het bloed spoot eruit.

De voetballer belde de <u>ambulanse</u>. Want dat was nou ook weer niet de bedoeling.

De <u>ambulanse</u> kwam met loeiende sirene.

Ze legden hem op een <u>brancard</u>.

Ze brachten hem naar de <u>wachtkamer</u>.

De voetballer werd niet ontslagen.

Omdat iedereen wel wist dat hij heel goed was.

Hij was een <u>specialist</u> in het nemen van corners.

Maar hij had gewoon pech gehad de laatste wedstrijden.

Dus hij ging nog beter zijn best doen. De volgende wedstrijd had hij <u>ommidellijk</u> gewonnen van Sparta.

'Matteo?' Meester Friso wijst naar de klok die naast het bord hangt. 'Ik dacht dat jij weg moest?'
'O ja!' Matteo springt zo snel overeind dat

zijn stoel omvalt. Zeven over tien. Niet te geloven! Hij is de tijd helemaal vergeten. Hij moet snel zijn. Anders komt hij nog te laat.

Hij rent de klas uit, grijpt zijn jas van de haak en holt naar buiten. Recht in de armen van meester Lieuwe.

'Wᴏʜᴏʜᴏʜᴏᴏᴏ!' buldert meester Lieuwe. 'Wat zijn wij aan het doen?'

'Onderzoek', zegt Matteo snel. 'Ik ben onderzoek aan het doen. Voor mijn spreekbeurt.' Hij probeert onder de armen van meester Lieuwe door te duiken. Maar die houdt hem tegen.

'Wacht even. Begrijp ik het goed dat je onderzoek buiten plaatsvindt?'

'Klopt.'

'Waar gaat die spreekbeurt over?'

'Over eh ...' Matteo krabt aan zijn hoofd. Hoe redt hij zich hieruit?

'Ik kan het nog niet vertellen. Want het is, eh – geheim. Ja. Ik doe een geheim onderzoek. Voor mijn spreekbeurt.' Matteo kijkt snel naar meester Lieuwe op.

Hé! Dat is raar. Meester Lieuwe heeft maar één wenkbrauw. Eén dikke, zwarte wenkbrauw, die van links naar rechts over zijn voorhoofd loopt.

'Juist', zegt meester Lieuwe. 'En weet meester Friso van dat geheime onderzoek af?'

Matteo probeert niet naar de wenkbrauw te kijken. Maar hij kan het niet helpen. Zijn ogen gaan er helemaal vanzelf naartoe. Geen gezicht, zo'n wenkbrauw. Hij lijkt Bert uit Sesamstraat wel. Zou zijn vrouw hem niet lelijk vinden? Of zou ze dat juist mooi vinden? Zo'n man met een lange wenkbrauw?

'Matteo?' zegt meester Lieuwe.

Matteo schrikt op. 'Wat?'

'Wat zegt u. Ik zei: weet meester Friso van dat onderzoek af?'

'Ja. Ja, meester Friso weet het.'

'Dan kun je mij er ook wel over vertellen.'

Matteo staart strak naar meester Lieuwes neus. 'Eh – nee. Het moet een verrassing zijn. Maar – maar u mag best komen luisteren, als u wilt, volgende week. Als ik mijn spreekbeurt heb.'

'Ik zal er zijn, meneer Salvatore.' Het klinkt dreigend.

'Ik ook', zegt Matteo. Hij draait zich om en begint weer te rennen. Achter zich hoort hij meester Lieuwe zijn keel schrapen. Meteen staat hij stil. Hij slaat met zijn hand tegen zijn voorhoofd.

Stom. Helemaal vergeten. Rennen door de gang. Streng verboden, natuurlijk.

Netjes wandelt hij verder. Maar zodra hij de hoek om is, begint hij weer te rennen. Tien over tien.

Als hij nog maar op tijd komt.

Trakteren profvoetballers ook als ze jarig zijn?
Bij sc Heerenveen wel! Wie jarig is, neemt een grote taart mee. De calorieën lopen ze er wel weer af bij de training.

7 Hoe dat sa?

M atteo rent over het schoolplein, pakt zijn fiets uit het rek en springt op het zadel. Hij slaat rechtsaf en racet over het weggetje tussen de scholen door naar de sportvelden. Als hij bijna bij het groene hek is, wordt hij ingehaald door drie kleine, zwarte Volkswagens.

Nee hè ... Dat zijn de spelers van Heerenveen al.

Matteo sprint naar de parkeerplaats. Gelukkig. Er staan nog maar een paar auto's. Hij is op tijd.

Hijgend springt hij van zijn fiets. Hij zet hem in het rek bij de kantine neer en kijkt om zich heen. Er komen meer zwarte Volkswagens aan. Portieren worden dichtgeslagen, handen op-gestoken. Pratend en lachend lopen de voetballers in de richting van het veld.

Matteo tuurt rond. Ze zien er allemaal wel erg hetzelfde uit, met die lichtblauwe truien, zwarte broeken en zwarte kousen. Maar de meesten herkent hij. Poulsen, Drost, Thomas Prager ...

Geert-Arend ziet hij niet. Zou hij het veld al op zijn?

In de verte komt nog één auto aan. Dat moet hem zijn. Matteo's hart begint sneller te kloppen.

De auto draait een parkeerplaats in. Twee mannen stappen uit. Brian Vandenbussche en Geert-Arend Roorda. Matteo aarzelt heel even. Dan stapt hij op Geert-Arend af.

'Eh, meneer Roorda?'

Geert-Arend blijft staan. Hij fronst even. Dan verheldert zijn gezicht. 'Hé! Ik ken jou. Matthijs, toch?'

'Matteo.'

'O ja. Matteo. En? Hoe is het gegaan? Al een aanbieding van Milaan gehad?'

Matteo lacht. 'Nog niet. Maar eh ... mag ik wat vragen?'

'Ja hoor.'

'Bent u echt een Fries?' Matteo slaat zijn beide handen voor zijn ogen. Help. Wat zegt hij nu weer. Dat wilde hij helemaal niet vragen.

'*Jawis*', lacht Geert-Arend. '*Hoe dat sa?*'[7]

'Nou ja, omdat u een beetje op een Italiaan lijkt.'

Kreun. Maakt hij het nog erger. Wie zegt dat nou tegen een Fries!

'O ja?'

'Ja, uw gezicht. En dat haar en zo.' Matteo kan zichzelf wel een schop geven.

Maar Geert-Arend lacht alsof hij een goeie mop heeft verteld. 'Nou, dankjewel. Geloof ik.'

'Maar ik wou eigenlijk vragen – zou ik u misschien mogen interviewen? Voor school? Ik heb volgende week een spreekbeurt, en ik wil het over voetbal doen. En dat mocht wel van m'n meester. Maar alleen als het interessant zou zijn. Want hij houdt niet van voetbal, ziet u. Hij is echt helemaal niet sportief, mijn meester. Hij houdt alleen maar van schaken. Hij zegt dat dat ook een sport is. En toen dacht ik, als ik u nu zou interviewen. Over hoe u voetballer geworden bent. En hoe het ging toen u gescout werd. En wat uw vader en moeder ervan vonden. En of u ook zenuwachtig bent als u tegen Ajax moet. En over blessures. En

---

7 Jazeker, hoe dat zo?

45

bijvoorbeeld of u schaken ook een echte sport vindt.'

Matteo is vuurrood als hij stopt met praten. Geert-Arend zegt vast nee. Natuurlijk zegt hij nee. Een profvoetballer heeft wel wat beters te doen dan kinderen helpen met hun spreekbeurt.

'Is oké', zegt Geert-Arend. 'Kom na de training maar effe langs.'

'Echt?' zegt Matteo ongelovig.

'Ja hoor. Als je tenminste geen u en meneer Roorda tegen me zegt. Hallo zeg. Ik ben toch geen ouwe vent.'

Matteo grinnikt. 'Oké. Zal ik doen. *Tyge by tyge.*'[8]

Geert-Arend steekt zijn hand op. '*Net te tankjen.*'[9]

Matteo holt terug naar zijn fiets. Yes! Hij wil het doen! Geert-Arend wil het doen!

Hij steekt zijn sleuteltje in het slot. Maar ineens valt hem iets in. Hij knijpt zijn ogen stijf dicht. Wat zei Geert-Arend nou? Kom na de training even langs?

De training van SC Heerenveen duurt altijd anderhalf uur. Om kwart voor twaalf zijn ze klaar. Maar de schoolpauze begint pas om twaalf uur. Hij kan pas om vijf over twaalf op Skoatterwâld zijn. En dan is Geert-Arend natuurlijk allang weg.

Matteo laat zijn fiets staan en rent naar het sportterrein. Hij wringt zich langs de ijzeren toegangspoortjes, en holt langs de kleedkamers naar het grote veld. Langs de kant van het veld staan groepjes oude mannen, de handen in de zakken. Ze komen hier elke dag. Bij elke training.

In weer en wind. Echte fans.

De meeste voetballers zijn zich

8 Hartstikke bedankt.
9 Graag gedaan.

al aan het warmlopen. Geert-Arend staat nog met een trainer te praten. Gelukkig. Hij is nog niet op het veld.

Matteo holt naar hem toe. 'Geert-Arend! Geert-Arend!'

Geert-Arend kijkt verbaasd opzij.

'Sorry! Maar ik heb pas om twaalf uur pauze. Ben je er dan nog? Ik kan er om vijf over twaalf zijn.'

Geert-Arend krabt aan zijn voorhoofd. 'Eh ... nee. Dan ben ik weg. Maar weet je wat? Bel me vanavond maar. Dan doen we gewoon een telefonisch interview. Heb je toevallig een pen bij je? Oké. Geef me je hand.'

Matteo steekt zijn arm uit. Geert-Arend krabbelt zijn telefoonnummer op Matteo's hand en geeft hem zijn pen terug.

'Dank je', zegt Matteo opgelucht. Hij kijkt naar zijn hand. Snel terug naar school.

'En?' zegt meester Friso, als Matteo de klas binnenvalt. 'Is het gelukt?'

Matteo laat de rug van zijn hand zien. 'Yep. Ik heb zijn telefoonnummer. Ik moet hem vanavond bellen. Ik ga hem interviewen over de telefoon.'

'Wow!' roept Nienke. 'Z'n nummer? Laat es zien! Heeft hij dat er zelf opgeschreven?'

Ze hangt half uit haar bank, haar hoofd scheef. 'Doe je hand eens wat hoger. Ik kan het nummer niet goed zien.'

'Schrijf dat nummer even over op een papiertje, Matteo', zegt meester. 'En was je hand. Die Roorda wil vast niet platgebeld worden.'

'Hoezo!' zegt Nienke verontwaardigd. 'Ik ga hem echt niet platbellen. Ik wou hem alleen maar een sms'je sturen.'

'Om te zeggen dat je op hem bent, zeker!' roept Gijs.

Nienke wordt vuurrood. 'Helemaal niet! Ik wou gewoon zeggen – ik wou gewoon zeggen ...'

Matteo schudt zijn hoofd. Meiden. Hij schrijft het nummer snel over op een kladblaadje. Dan wrijft hij net zo lang over zijn hand tot het niet meer leesbaar is. Van hem zal niemand het nummer van Geert-Arend te weten komen.

Waarom mag ik niet voetballen met een pet op?
Een speler mag niets dragen dat gevaarlijk is voor hem of voor andere spelers. Petten zijn gevaarlijk. Behalve voor de keeper.

Waarom zijn petten gevaarlijk?
(Geen idee. Dat vraag ik effe aan mijn vrienden.)

Tiani: omdat de tegenstander de klep over je ogen kan trekken zodat je niets meer ziet.
Jelle: omdat de tegenstander de klep kan vastpakken en je rondzwaaien tot je duizelig wordt.

Gijs: omdat de tegenstander je pet kan afpakken, en dan ga je misschien hem achterna rennen in plaats van de bal.

8 Belangrijke brief

Matteo zit beneden achter de computer. Vinger voor vinger typt hij de belangrijke brief, die Gijs, Jelle, Tiani en hij bedacht hebben. De brief voor AC Milan. En voor Chelsea. En voor Real Madrid.

> Klik op deze link.
> En u ziet uw toekomstige kampioenen!!
> Wees er snel bij!!!
> Want anders gaan ze naar de tegenstander!!!

Matteo leest zijn brief nog eens over. Hij knikt tevreden. Kort maar krachtig. Helemaal goed. Nu moet hij er Engels van maken. Gelukkig dat mem een vertaalprogramma op haar computer heeft. Matteo klikt op 'vertaal'. Nog geen vijf seconden later staat er een prachtige Engelse tekst op het scherm.

> Click on this link.
> And you sees your future champions!!
> Orphan there rapidly at!!!
> Because differently they go to the antagonist!!!

Matteo balt zijn vuist. Yes! Het is gelukt! Hij heeft een echte Engelse brief geschreven. Niet dat hij er zelf iets van begrijpt. Maar dat hoeft ook niet. Als ze het in Italië maar snappen.

Ramona en Valentina komen de kamer binnen
rennen.
'D'r af, d'r af!'
'Wij mogen op de computer!'
'Niet waar', zegt Matteo. 'Ik mocht.'
'Je bent al een uur geweest, dombo',
zegt Ramona.
'En mem zegt dat je Spidi moet
uitlaten, dombo', zegt Valentina.
'Dus.'
Matteo werpt een laatste blik op zijn mail-
tje. De adressen staan erop. De link heeft hij
erbij gezet. Met zijn wijsvinger drukt hij de linker muisknop in.
Het mailtje vliegt van het scherm, op weg naar Milaan.
'Matteo!' Ramona probeert Matteo van zijn stoel te duwen.
Matteo geeft haar een flinke elleboogstoot. Snel sluit hij het
mailprogramma af.
'O, was je aan het mailen? Met wie?'
'Met z'n liefje natuurlijk. Met hoe heet ze ook alweer ...'
'Tiani.'
'Dat is m'n liefje niet', snauwt Matteo. Hij springt op en loopt de
kamer uit.
'Hé, Matteo!' roept Valentina hem na. 'Ho. Stop. Wacht even! We
wilden nog even wat vragen. Heb jij het druk, volgende week
woensdag?'
Matteo draait zich om. 'Hebben jullie weer een jongen nodig
voor jullie balletclubje? Of voor bloemschikken? Of voor zwaan-
tjes vouwen? Vergeet het maar. Jullie zoeken maar iemand
anders. Ik ben er niet. Woensdag niet en andere dagen ook niet.

Ik heb het druk.' Hij slaat de deur achter zich dicht.

'Oké', hoort hij Ramona zeggen. 'Hij heeft dus niks te doen.'

'Mooi zo', klinkt de stem van Valentina.

Matteo zucht. Wat zijn ze nu weer van plan?

Wat een pech als je twee van die bemoeizuchtige zusjes hebt. Had hij maar een broer, net als Gijs. Een grote broer, die zijn eigen gang gaat, en zich niet met je bemoeit. Maar waar je wel naartoe zou kunnen gaan als je raad nodig hebt.

Hij fluit. Boven zijn hoofd klinkt een harde bonk, alsof er iemand uit bed valt. Gekras van nageltjes op een houten vloer. En dan komt Spidi de trap af draven. Beneden in de gang komt hij slippend tot stilstand. Enthousiast probeert hij tegen Matteo op te springen. Maar het lukt hem niet. Zijn pootjes zijn te kort.

'Heb je weer in mijn bed gelegen?' moppert Matteo. 'Vies beest.'

Spidi kwispelt alsof Matteo hem net geprezen heeft.

Matteo pakt de riem. 'Kom mee. We gaan skateboarden. Zit.'

Spidi begint enthousiast rondjes te draaien. Matteo stapt met één been over Spidi heen en klemt hem stevig tussen zijn knieën. 'Zit, zeg ik. Af. Lig. Nee, niet bijten. Dat mag niet. Ik bijt jou ook niet.'

Eindelijk lukt het Matteo om de riem vast te haken. Hij trekt snel zijn sportschoenen aan, pakt zijn skateboard en gaat naar buiten. Spidi springt piepend van opwinding om hem heen.

Als ze op het fietspad zijn, zet Matteo zijn skateboard neer. Hij heeft de hoop opgegeven om van Spidi een slanke sporthond te maken. En met speuren wordt het ook niets. Maar Spidi blijkt een onverwacht talent voor skateboarden te hebben. Al is dat waarschijnlijk omdat hij liever lui dan moe is.

'Kom op, Spidi. Toe dan!'

Spidi springt op het skateboard. Dat schiet meteen onder hem vandaan. Verontwaardigd blaffend blijft hij staan.

'Goed zo! Je had het bijna! Wacht, ik help je. Je zet deze drie poot-jes op het skateboard, en dan moet je met je voorpootje steppen.' Matteo tilt Spidi op het skateboard.

'Steppen, zeg ik. Met dit pootje. Spidi!' Matteo slaakt een diepe zucht.

'Kom op! Zo wordt het nooit wat met jou! Wil je dan niet op de halfpipe? Of van een railing af? Of een salto doen? Als je niet zelf kunt skateboarden, kun je ook geen trucjes doen.'
Spidi blijft staan waar hij staat.
'Oké, oké', moppert Matteo. Hij maakt de riem los, en haakt hem in een oogje dat hij op zijn skateboard heeft geschroefd.

'Dit is wel de omgekeerde wereld, hè!' roept hij over zijn schouder, terwijl hij het skateboard achter zich aan trekt en begint hard te lopen. 'Echte honden trekken hun baasjes.'

Matteo haalt een dame in een elektrische rolstoel in. Vanuit zijn ooghoeken ziet hij een klein hondje, dat gezellig op haar schoot zit. Een hondje? O nee. Achter zich hoort hij Spidi blaffen. Het skateboard schiet met een klap tegen zijn enkels aan. Au.
'Spidi!' roept Matteo boos. Hij draait zich om. De rolstoel staat stil, midden op het fietspad. En Spidi springt boos tegen de wielen op. Het hondje keft vanaf de schoot van de dame nijdig terug.
'Sorry, sorry', zegt Matteo. Hij grijpt Spidi bij zijn halsband. Met zijn andere hand wrijft hij over zijn pijnlijke enkels. De dame in de rolstoel kijkt niet al te vriendelijk.
'*Moatst him oan 'e line hâlde!*' [10]
'Ik had hem aan de lijn', zegt Matteo.
'*De hûn, bedoel ik. Net dyn skateboard!*' [11]

10 Je moet hem aan de lijn houden!
11 De hond, bedoel ik. Niet je skateboard!

Matteo steekt zijn hand op. 'Sorry.'

De rolstoel komt weer in beweging. Matteo houdt Spidi stevig vast. Hij wacht tot de dame om de hoek verdwenen is. Dan spreekt hij zijn hond bestraffend toe. 'Zo kan het dus niet, hè. Als jij bij elke hond van dat skateboard springt. Want wie komt er in de problemen? Niet jij. Maar ik.'

Spidi kwispelt blij.

'Oké, dan. We proberen het nog één keer. Maar nu blijf je staan. Of je stept mee. Maar je springt er niet meer af. Begrepen? Pas op, hè. Want anders ga ik op het skateboard, en dan ga jij trekken.'

Een kort blafje. Spidi heeft het begrepen.

Matteo ritst zijn trainingsjas wat hoger dicht en begint weer te rennen. Het is koud en grijs. Wanneer wordt het hier eindelijk lente?

Aan de overkant van de sloot wordt hard gewerkt. Er wordt gebouwd aan een nieuw schoolgebouw. Over een jaar moet het klaar zijn. Maar misschien woont hij dan niet meer hier. Misschien woont hij dan wel in Italië. Elke dag voetballen in de zon.

Waterpauze
In Jakarta worden voetbal-
wedstrijden steeds na twaalf
minuten stilgelegd. De spelers en
de scheidsrechter rennen dan

naar de kant om water te drinken. Als ze dat niet doen, liggen er halverwege de wedstrijd allemaal bewusteloze spelers op het veld.

9 Knoflooklucht

Met kloppend hart opent Matteo zijn mailbox. Eén nieuw bericht.

Jammer. Het is niet van Milaan. Het is van Achmed, de trainer van E2. Hoeft hij niet te lezen. Hij weet het toch al. Achmed schrijft altijd hetzelfde. *Morgenmiddag trainen. Zorg dat je er op tijd bent. Vergeet je scheenbeschermers niet.*

Matteo klikt zijn mailbox weg en opent de YouTube-pagina. Hun filmpje is nu zeven keer bekeken. Er staan een paar nieuwe reacties onder. Allemaal even onaardig.

> 'Jullie kunnen ook niet voetballen.'
> 'weet iemant hoe ik mij filmpje op youtube kan zette.'
> 'ZOEK EEN ANDERE SPORT SUKKELS.'

Matteo bijt op zijn nagel. Zou het mailtje wel zijn aangekomen in Milaan? En in Madrid en Rome en Engeland? Hij kán het natuurlijk nog een keer sturen. Maar het moet niet op zeuren lijken.

Misschien kan hij beter nog even wachten. Misschien hebben ze geen tijd vandaag. Dat kan natuurlijk. Als ze net aan het trainen zijn of zo. Of als ze een belangrijke vergadering hebben. Misschien heeft Frank Molenaar ook wel een tijd moeten wachten. Misschien was hij de hele video al lang vergeten, en schrok hij zich een ongeluk toen er ineens Italiaanse scouts op de stoep stonden. Arme Frank Molenaar. Hij kon natuurlijk ook helemaal geen Italiaans. Hij snapte er vast niks van.

'Matteo!' roept mem vanuit de keuken. 'Het eten is bijna klaar. Wil jij de tafel even dekken?'

'Nee', roept Matteo terug.

'Wát zei je?' Mem komt de keuken uit in een wolk knoflooklucht. Ze legt haar hand tegen haar oor. 'Heel gek. Ik dacht even dat ik je "nee" hoorde zeggen.'

'Je vroeg toch of ik het wilde', zegt Matteo. 'En ik heb geen zin.'

'Dan zal ik het anders zeggen', zegt mem streng. 'Dek de tafel. Nu meteen. Of je mag een week niet voetballen.'

Matteo rolt met zijn ogen. Langzaam loopt hij naar de keuken om de borden te halen. Waarom hoeven Ramona en Valentina nooit iets te doen? Hij heeft Spidi ook al uitgelaten. En vanmorgen heeft hij geholpen met tafeldekken. Hij moet alles doen hier in huis. Alles.

'Met Geert-Arend', klinkt de stem aan de andere kant van de lijn.

'Hoi', zegt Matteo. 'Met eh ... Matteo. Van de spreekbeurt. Ik zou je bellen.'

Het blijft even stil. Dan zegt Geert-Arend: 'O ja! Het interview.'

'Komt het wel uit, nu?'

'Ja hoor. Geen probleem. Wat wou je vragen?'

Matteo kijkt in zijn opschrijfboekje. Het is geen gewoon opschrijfboek. Het is een opschrijfboek dat op een dag een echt boek gaat worden. Een voetbalboek. Er staan allemaal voetbaltips in. Een interview met Brian Vandenbussche, de keeper van Heerenveen. En de vragen die hij aan Geert-Arend wil stellen.

'Hoe oud was je toen je gescout werd?'

'Acht jaar.'

'Echt waar?' Met acht jaar zat Matteo nog niet eens op voetbal.

'Ja. Het was een maandagavond. Mijn broer en ik zaten op vv Noordbergum, we speelden een wedstrijd, en er stond toevallig een scout van Heerenveen te kijken. We wisten helemaal niet dat die man een scout was, natuurlijk. Mijn moeder wist het wel, maar die zei niks.

Een paar weken later kregen we een brief. Of we op woensdagmiddag naar Heerenveen wilden komen. Voor een testwedstrijd.'

'Wow ...' verzucht Matteo.

'Ja, ik was echt superblij', verteld Geert-Arend. Ik had het totaal niet verwacht. Ik had zelf eigenlijk helemaal niet door dat ik zo goed voetbalde. Maar het was voor mij een droom die uitkwam.'

Matteo knikt. Een droom die uitkwam. 'En toen?'

'Nou, toen zijn m'n broer en ik naar Heerenveen gegaan en toen hebben we een paar testwedstrij- den gespeeld. Mijn broer is na een paar weken afge- vallen.'

'Zonde.'

'Ja, maar die is toen naar Cambuur gegaan, en hij is daar keeper geworden. Ook een goeie club, natuurlijk.'

'Maar Heerenveen is beter.'

'Ja, natuurlijk. Veel beter.'

'Maar wacht even. Ik snap het nog niet helemaal.' Matteo trekt een rimpel in zijn voorhoofd. 'Dus je was gescout. Maar je was nog niet meteen lid van Heerenveen?'

'Nee. Nee, ze nemen je echt niet zomaar aan. We waren in het begin met een hele groep spelers, allemaal F-pupillen. Eens in de twee weken gingen we op woensdagmiddag naar Heerenveen. Je kreeg een hesje aan met een nummer, de trainer vertelde wat je die middag ging doen, en dan gingen we aan het werk. Techniek trainen. Aannemen, passen, trappen. En partijtjes natuurlijk. Laten zien wat je kon, eigenlijk.

Elke keer vielen er spelers af. Tot we een groep over hadden van zestien man, denk ik. En dat werd dan de voetbalklas van de F-pupillen. Snap je?'

'O ja.' Matteo is even stil. 'Maar – maar gaat dat bij AC Milan dan ook zo?'

Geert-Arend grinnikt. 'Geen idee. Denk het wel. Maar waarom wil je eigenlijk naar Milaan? Waarom probeer je niet gewoon of je op de voetbalschool van Heerenveen kunt komen? Hoe oud ben je, tien jaar? Elf? Wat moet je nou in Italië, man? Daar kun je altijd nog heen.'

Het is alsof Matteo een dreun op zijn hoofd krijgt. Geert-Arend heeft gelijk. Wat moet hij bij AC Milan als hij gewoon naar Heerenveen kan? Als hij hier gescout zou worden, zou hij gewoon op school kunnen blijven. Gewoon z'n vrienden blijven houden. Na schooltijd voetballen met Gijs, Jelle, Tiani, en de anderen. Skaten in de herfst. Schaatsen in de winter. Zeilen in de zomer.

'Hallo?' zegt Geert-Arend. 'Ben je daar nog?'

'Ja, ja, ik ben er.'

'Volgende week hebben ze weer een talentendag. Daar kun je gewoon

aan meedoen als je je opgeeft. Er lopen allemaal scouts rond.'
'Echt waar?'
'Ze zijn wel heel streng, hoor. Ik ga je niet vertellen dat je veel kans hebt. Maar je weet maar nooit. Als ik jou was, zou ik het proberen.'

Matteo vergeet Geert-Arend te bedanken. Hij vergeet de rest van zijn vragen. Hij gooit de telefoon op bed en rent naar beneden. De computer. Hij moet meteen op de computer. Hij moet zich opgeven. Nu meteen. Voor het te laat is.
Hij gooit de kamerdeur open. 'Mem?'
'Ja?'
'Mag ik op de computer?'
Mem kijkt op van haar boek. 'Nee. Je bent vandaag al geweest. En trouwens – je moet naar bed.'
'Het is echt maar heel even.'
'Sorry, jongen. Morgen is er weer een dag.'
Matteo kijkt zijn moeder smekend aan. 'Mem, alsjeblieft, alsjeblieft, alsjeblíeft. Ik hoef maar één klein dingetje te doen. Het duurt maar één minuut.'
Mem fronst. 'Matteo. Het is halfnegen geweest. Je had al lang in bed moeten liggen. Ga naar boven.'
'Papi?'
Papa wuift met zijn hand. 'Je hebt mem gehoord, Matteo. Ga naar je bed.'

De klok slaat negen uur. Halftien. Tien uur. Buiten is het al lang donker. Maar Matteo zit rechtop in zijn bed, zijn kussen in zijn rug, zijn blauw-witte Heerenveendekbed opgetrokken tot zijn kin. Hij gaat niet slapen. Niet voordat papa en mem in bed liggen. Niet voordat hij stiekem naar beneden is geslopen, de computer heeft aangezet, en zich heeft aangemeld voor de talentendag.

Het duurt wel erg lang. In het begin was het niet moeilijk om wakker te blijven. Hij was zo boos. Maar zijn boosheid is langzaam weggesijpeld. Steeds vaker vallen zijn ogen dicht. Niet dat hij moe is, natuurlijk. Helemaal niet.

Matteo gaapt. Hij kan best wel even gaan liggen. Hij valt heus niet in slaap. Al wordt het twaalf uur. Hij moet die aanmelding versturen. Misschien helpt het als hij ondertussen bedenkt wat hij bij zijn spreekbeurt gaat vertellen. Voetbal. Voetbal ...

'Matteo!' De stem van Ramona dringt Matteo's dromen binnen. 'Matteo! Word wakker. We moeten zo naar school! Ben je ziek of zo?'

'Wát?' Matteo knippert met zijn ogen tegen het licht. Het volgende moment is hij klaarwakker.

'Hoe laat is het?'

'Kwart voor acht. We zijn al aan het eten.'

'Wát? Kwart voor acht?' Matteo springt uit bed. Hij grijpt naar zijn haar. 'O nee. O nee. O neeeeee.'

'Nou ja, zo erg is het ook niet.' Ramona klopt hem op zijn schouder. 'Je komt heus nog wel op tijd hoor.'

'Je snapt het niet.'

'Wát? Wat snap ik niet?'

'Niks. Ga weg.' Matteo duwt Ramona de kamer uit en trekt de deur dicht. Kreunend laat hij zich weer op bed vallen.

Stomkop die hij is. Hij is in slaap gevallen. Hoe kan dat nou?

Wanneer moet hij zichzelf nu inschrijven? Vanmiddag heeft hij ook geen tijd. Dan is er trainen.

'Matteo!' roept mem van beneden. 'Ben je eruit?'

'JAHAAA!' schreeuwt Matteo terug. 'Al lang!'

Hij trekt zijn kussen over zijn gezicht. Oké. Vanavond gaat hij zich inschrijven. Zodra hij thuis is.

Het mooiste voetbalmoment van Geert-Arend Roorda

Geert-Arend: Het mooiste voetbalmoment is, denk ik, dat ik een doelpunt maakte in het Abe Lenstra-stadion. En natuurlijk mijn debuut in het eerste. Ik heb ook een bronzen medaille gehaald op een WK onder de 17 jaar, en dat was ook een superervaring. Eigenlijk kan ik niet kiezen wat het mooist was!

Wilde jij vroeger ook bij AC Milan voetballen?

Geert-Arend: Ja. Vroeger wilde je natuurlijk bij de beste club van de wereld spelen. Omdat iedereen erover sprak en omdat die altijd op tv kwam. Dus daar wilde je natuurlijk het liefst spelen!

10 Stelletje sipels!

'S Middags na schooltijd rent Matteo snel naar boven om zijn trainingskleren te halen. Waar is zijn broek? Waar zijn zijn kousen? Waar zijn zijn scheenbeschermers?

'Mem? Mem! Ik ben mijn voetbalspullen kwijt.'

'Heb je in de kast gekeken?' roept mem.

'Ja. Maar daar liggen ze niet.'

Mem komt de kamer binnen, een wasmand onder haar arm. 'Matteo! *Stom noch oan ta.*[12] Waarom heb je al je broeken op de grond gegooid? En wat doen die shirts en sokken op je bed?'

'Ik zoek mijn voetbalkleren.'

'Vouw alles weer op en leg het terug in de kast. En netjes.'

'Maar mem!'

Mem trekt haar wenkbrauwen op tot boven haar bril. 'Je dacht toch niet dat ik het ging doen?'

'Nee. Heus niet. Ik ga het echt wel doen, hoor. Maar waar zijn mijn voetbalkleren nou?'

'Geen idee. Heb je je spullen wel in de was gegooid, vorige week?' Mem loopt de kamer uit.

Matteo laat zich op zijn buik vallen en kijkt onder zijn bed. Helemaal in de hoek, tegen de muur, ligt zijn sporttas. Hij trekt hem onder zijn bed vandaan en ritst hem open.

Yes. Alle spullen zitten er nog in. Zijn bemodderde schoenen.

---

12 Verdraaid nog aan toe.

Zijn vieze sokken. Zijn trainingspak. Een natte handdoek.

'HÉ MEM!' schreeuwt hij. 'IK HEB HET GEVONDEN!'

'Heel fijn voor je', roept mem terug. 'Maar je gaat niet weg voor je je kleren hebt opgeruimd.'

Matteo kijkt op zijn wekker. Nog een kwartier. Hij maakt een grote prop van al zijn kleren, en perst ze tussen twee planken in de kast.

'En met opruimen bedoel ik netjes opruimen!'

Matteo gromt. Kan ze door de muur heen kijken? Met zijn achterwerk duwt hij tegen de kastdeur aan. Snel draait hij hem op slot. De deur staat een beetje bol. Maar de kamer ziet er weer keurig uit. Dat zal zelfs mem moeten toegeven.

Trainer Achmed komt de kleedkamer binnen, een schrijfmap in zijn hand. 'Goeiemiddag allemaal.' Hij haalt zijn neus op. 'Hallo zeg. Heeft iemand een zak rotte aardappels meegenomen?'

'Dat is Matteo', zegt Gijs. 'Die heeft zijn kleren niet gewassen.'

'Matteo, ouwe pannenkoek!' gromt Achmed. 'Dat kan toch niet?'

Matteo steekt verontschuldigend zijn handen op. 'Sorry, sorry. Ik was het vergeten.'

'Je moet die kleren zaterdag in de kleedkamer van Sneek verstoppen!' zegt Jelle. 'Dan zijn ze allemaal bedwelmd.'

'Ja, goed idee!' roept Auke. 'Dan kunnen we ze eindelijk verslaan.'

Achmed schudt zijn hoofd. 'Willen jullie winnen van een bedwelmd team? Kom op, zeg. Stelletje luie varkens. Jullie kunnen Sneek toch wel op eigen kracht aan?'

Tiani en Maranke komen de jongenskleedkamer binnen.

'O nee!' kreunt Maranke. 'Wat stinkt het hier.' Met dichtgeknepen neus gaat ze op de bank zitten.

'Heel goed', zegt Achmed. 'De meiden zijn er. Dan kunnen we beginnen. Heeft iedereen mijn mailtje gehad, gisteren? Sorry dat ik zo laat was, jongens. Er was iets mis met mijn internet. Ik kreeg gisteren het bericht pas binnen.'

'Welk bericht?' vraagt Jelle.

'Ja, welk bericht?' zegt Matteo.

'Stelletje *sipels*,[13] zegt Achmed verontwaardigd. 'Lezen jullie mijn mailtjes niet? Het bericht van de talentendag van Heerenveen.'

'Talentendag?' zegt Gijs. 'Weet ik niks van.'

'Ik kijk nooit op mijn mail', zegt Joël.

'Ik alleen maar één keer in de maand.'

Achmed slaat zijn schrijfmap tegen zijn hoofd aan. 'Neeee. Ze lezen gewoon mijn mailtjes niet. Sloof ik me daarvoor uit? Oké. Er is volgende week woensdag dus een talentendag. Hier op Skoatterwâld. Speciaal voor E-spelers. Moet je je wel even voor opgeven.'

'O ja!' zegt Matteo. 'Dat wou ik nog doen!'

'Wat?' zegt Gijs verbaasd. 'Wist jij het dan wel?'

'Ja, ik hoorde het gisteravond van Geert-Arend Roorda.'

'Hallo! Had je het dan niet even tegen ons kunnen zeggen?'

13 sukkels (eigenlijk: uien)

Matteo steekt zijn handen op. 'Sorry. Vergeten.'

'Slimbo.'

'Sorry zeg ik toch!'

'Kom op, jongens', zegt Achmed. 'Geen ruzie. Wie zich op wil geven doet het gewoon na trainen. Tenminste – ik hoop dat jullie nog op tijd zijn. Ik weet niet wanneer de inschrijving sluit.'

'En als we te laat zijn?' wil Jelle weten.

'Dan heb je pech gehad. Dan moet je het over een jaar maar weer proberen.'

'Wat?' roept Gijs. 'Over een jaar?'

'Zorgen jullie nou maar gewoon dat jullie zaterdag goed spelen. Je hebt meer kans dat je tijdens een gewone wedstrijd gescout wordt, dan dat je er bij zo'n talentendag wordt uitgepikt.' Achmed staat op. 'Kom op, jongens. We gaan wat doen. We moeten zaterdag winnen van Sneek.'

Na de training fietst Matteo zo snel hij kan naar huis. 'Mag ik op de computer?' roept hij, zodra hij de keukendeur opendoet.

'Hallo mem', zegt mem, die kaas aan het raspen is. 'Hallo papa, hallo Ramona, hallo Valentina. Hé, hallo Matteo, lekker getraind?'

'O ja, hallo', zegt Matteo. Hij gooit zijn sporttas in een hoek en trekt zijn trainingsjas uit.

'Mag ik op de computer? Wat eten we?'

'Pizza!' roept papa. Hij doet de oven open en haalt er een dampende bakplaat uit.

'Yeaaaah!' roept Valentina. 'Je bent de beste kok, papi!'

'En jij bent de beste hulp', zegt papa. 'Ramona, kun jij de tafel even dekken?'

'Mag ik heel even achter de computer?' vraagt Matteo weer.
'Hang je jas op, berg je tas op en leg je kleren bij de wasmachine', zegt mem. 'En kom dan meteen aan tafel. Het eten is klaar.'

Pas na de afwas kan Matteo eindelijk achter de computer. Snel kijkt hij of er nog nieuwe mail is. Maar er is niets. Niets belangrijks, in elk geval. Alleen dat mailtje van Achmed maar.

> Heey allemaal,
> Volgende week woensdag talentendag van de voetbalschool van sc Heerenveen. Kijk ff op de site als je mee wilt doen.
> Hoop dat het niet te laat is. Kreeg het bericht pas vandaag door, mijn server was down.
> Morgen graag op tijd op de training zijn!
> Maranke: neem je scheenbeschermers mee!!
> Arif: pas na de training eten!!
> Oant sjen,[14]
> Achmed

'Hoop dat het niet te laat is, zegt-ie', mompelt Matteo. 'Ja, dat hoop ik ook. Pannenkoek!'
'Wat zei je?' vraagt papa.
'Niks.'
Matteo gaat naar de site van sc Heerenveen. *Lichtmast Abe Lenstra-stadion in reparatie. Zilveren schoen voor Daniel Pranjic. A-junioren strijdend ten onder.*

14 Tot ziens

Ja! Daar staat het. *Testdag E-spelers.*

> De voetbalschool Heerenveen organiseert ook dit jaar
> weer een aantal testdagen waarop talenten hun vaar-
> digheden kunnen tonen.
> Woon je in Fryslân, Groningen, Drenthe, de Noord-
> Oostpolder, de Flevopolder of Overijssel: klik hier om
> je op te geven voor een van de talentendagen.

Matteo bijt op zijn lip. Zijn hart bonkt bijna zijn lichaam uit. Hij
wacht heel even en klikt dan op de button. Hij knijpt zijn ogen
dicht en doet ze dan snel weer open. Het scherm wordt blauw. Er
verschijnt een wit kadertje. En daar staat het. Het bericht waar
hij zo bang voor was.

OPGEVEN IS HELAAS NIET MEER MOGELIJK

Matteo knijpt zijn ogen dicht en doet ze weer open. Maar het
staat er nog steeds. Opgeven is helaas niet meer mogelijk.
Hij slaat met zijn vuisten op het toetsenbord. Te laat! Hij is te
laat.
'Hé!' zegt papa verontwaardigd. Hij laat zijn
krant zakken. 'Wat doe jij?'
Matteo slikt zijn tranen weg. 'Niks!' zegt hij
boos. 'Ik doe niks.'
Papa staat op. 'Dit is mems computer. En die willen we graag heel houden. Als jij niet tegen je ver-
lies kunt, moet je maar geen spelletjes meer doen.'

*Mag je ook nog patat en pizza eten
als je profvoetballer bent?*

69

Advies van Geert-Arend Roorda:
Je mag wel eens een patatje of een
pizza eten, maar niet te vaak. Een
keer na de wedstrijd bijvoorbeeld is het
helemaal niet erg om eens iets slechts,
maar wel heel lekkers, te eten. Maar
zoals ik al zei: eet het niet te veel ...!

11 Pech gehad

Matteo rent over het pad langs het bouwterrein. Hij klemt zijn kiezen op elkaar, balt zijn vuisten. Met zijn mouw veegt hij zijn tranen weg. Hij gaat niet janken. Niet om zoiets onbelangrijks. Het is maar een stomme talentendag. Waar bijna nóóit iemand gescout wordt.

Hij zou Achmed wel een schop willen geven. Een keiharde schop. Mijn server was down. Wat is dat nou voor onzin? Dan ga je toch even naar een vriend? Dan kijk je dáár toch of je nog mail hebt?

Als hij dat bericht een week geleden had gekregen, was hij gewoon op tijd geweest. En Gijs ook.

Achmeds woorden dreunen bij elke stap door zijn hoofd.

Pech gehad.

Pech gehad.

Pech gehad.

Ben je te laat?

Pech gehad.

Pech gehad? Matteo spuugt in het gras. Achmed heeft makkelijk praten. Die hoeft het niet meer te proberen. Die heeft geen schijn van kans meer. Minstens negentien is hij. Te oud voor profvoetbal. En te oud voor computers ook.

Matteo houdt even in voor een fietser. Dan versnelt hij weer. Steeds harder gaat hij. Hij wist zelf niet eens dat hij zo hard kon lopen. Inademen door de neus. Uitademen door de mond. Pech gehad. Pech gehad. Pech gehad.

Achmed weet toch hoe het gaat? Hij weet toch dat profclubs het liefst jonge spelers aannemen? Spelers die zichzelf nog geen fouten hebben aangeleerd? Het liefst hebben ze F-jes.

En nu moet hij een heel jaar wachten. Over een jaar is hij een D-speler. Een D-speler die zichzelf allemaal fouten heeft aange-leerd.

Misschien klopt het wat Achmed zei. Misschien heb je tijdens een gewone wedstrijd wel meer kans om gescout te worden dan bij een talentendag. Maar hij heeft nog nooit scouts bij een wed-strijd gezien. Alleen nog maar vaders en moeders. Er is nog nooit iemand naar hem toe gekomen die zei: 'Jij bent een natuurtalent! Hoe heet je? Waar woon je? We moeten je hebben!' Dit was zijn kans. En Achmed heeft hem verknald.

Hijgend staat Matteo stil. Hij moet naar huis. Sorry zeggen tegen papa omdat hij het toetsenbord bijna in puin geslagen heeft. En dan dat mailtje naar Milaan nog een keer versturen. Misschien is de server van AC Milan ook wel down. Misschien is zijn mailtje gewoon niet aangekomen.

'Hoi', zegt papa. Hij is in de keuken thee aan het zetten.

'Hoi', zegt Matteo. Hij ritst zijn trainingsjas los. Zijn rug is nat van het zweet.

'Afgekoeld?'

'Opgewarmd.'

'Stoom afgeblazen, dan?'

'Ja, dat wel.' Matteo houdt zijn mond onder de kraan en neemt een paar slokken water.

Papa zet de theepot neer op het tafeltje in de kamer. Hij gaat zitten en klopt naast zich op de bank. 'Vertel eens. Wat is er? Waarom was je zo boos? Wat was dat voor spelletje?'

Matteo laat zich naast papa neerzakken. Hij doet zijn armen over elkaar. Hij kan het net zo goed vertellen. Het wordt toch niks. 'Ik deed geen spelletje. Ik wilde me opgeven voor de talentendag van Heerenveen. Maar ik ben te laat.'

Matteo vertelt. Papa luistert zonder hem te onderbreken. Zijn ellebogen op zijn knieën, zijn ogen op Matteo gericht. Als Matteo klaar is, blijft hij stil.

'We lijken op elkaar', zegt hij eindelijk.

Matteo kijkt weg. We lijken op elkaar? Echt niet. Papa weet nog geen bal te raken als hij vlak voor zijn voeten ligt. Zet hem voor open doel, en hij struikelt over de bal in plaats van te scoren.

'Ik bedoel niet dat ik goed kan voetballen. Maar ik had ook een droom, toen ik zo oud was als jij.'

Matteo zakt onderuit. Hij zucht. Krijgt hij dat verhaal weer.

'Ik wilde violist worden.'

'Ja. En je bent violist geworden.'

Papa schudt zijn hoofd. 'Ik ben geen violist geworden. Ik ben vioolleraar geworden.'

'Dat is hetzelfde.'

'Nee, dat is heel wat anders. Denk je dat dat is wat ik me vroeger had voorgesteld? Elke dag weer naar de muziekschool fietsen? Kinderen leren hoe ze hun rechterarm moeten houden? Hoe ze hun viool moeten stemmen? Hoe ze hun vingers moeten zetten? Wat het verschil is tussen een f en een fis?

Toen ik zo oud was als jij, droomde ik van een carrière als violist. Op het podium staan, concerten geven, de wereld over reizen. Elke dag prachtige muziek spelen. Maar weet je – ik was niet goed genoeg.'

Matteo schiet rechtop. 'Wie zegt dat? Die stomme Italianen zeker? Die er helemaal geen verstand van hebben? Volgens mij ben je hartstikke goed. Je bent de beste violist die ik ken.'

Papa glimlacht. 'Heel aardig van je, Matteo.'

'Helemaal niet aardig. Ik meen het.'

'Oké, ik kan goed vioolspelen. Maar ik ben niet goed genoeg. Niet goed genoeg voor de top. Net als de meeste violisten, trouwens. Maar dat vind ik ook helemaal niet erg meer. Ik ben blij met hoe mijn leven gelopen is. Ik ben blij met mem en met jou en de meiden. En ik ben blij met mijn werk. Ik ben trots als mijn leerlingen na een paar maanden vioolles hun eerste uitvoering geven. Als ze 'Altijd is Kortjakje ziek' spelen. Hoe vals het ook is. Ik vind het geweldig om ze vooruit te zien gaan. Om te merken dat ze van muziek gaan houden.'

Papa kijkt opzij. 'Dat had ik me vroeger niet kunnen voorstellen. Lesgeven leek me een *incubo*.[15] Ik had er geen idee van dat ik dat op een dag echt leuk zou gaan vinden. Ik denk, wat ik wil zeggen is – '

'Dat ik niet goed genoeg ben om profvoetballer te worden.'

Papa is even stil. Dan zegt hij voorzichtig: 'Ik wil zeggen: soms heb je een droom die niet uitkomt. Jij wilt profvoetballer worden. Misschien lukt het. Je hebt talent. Dat kan ik zelfs zien. Maar is het genoeg?'

15 nachtmerrie

74

'Dat wou ik nou juist uitvinden!' zegt Matteo. Hij balt zijn vuisten. 'Daarom wou ik naar die talentendag. Om uit te vinden of ik goed genoeg was.'

'Ik snap het. Ik vind het echt ontzettend jammer voor je. Maar als je dit jaar nou keihard gaat trainen ... Dan heb je volgend jaar toch extra veel kans? Of snap ik er nou niks van?'

Matteo knikt. Langzaam staat hij op. Papa snapt er inderdaad niks van.

Beste scouts van AC Milan,
Ik weet niet of mijn vorige mailtje is aangekomen.
Daarom stuur ik het nog een keer.
Kijk alstublieft op ons youtube filmpje.
Hoe goed we zijn.
Ik ben de jongen met het rode shirt.

Dear scouts of AC Milan,
I weet or my previous mailtje have not arrived.
For this reason I it sends again.
Look alstublieft on our youtube small film.
How well we are.
I am the boy with the red shirt.

Ingooien voor beginners

Als je de bal in moet gooien, doe het
dan snel.
Gooi hem naar iemand van je eigen
team!
Gooi hem naar iemand die vrijstaat,
dombo!

12 Post

Matteo staart naar het lege computerscherm. Het is al maandag. Over drie dagen heeft hij zijn spreekbeurt. Hij moet echt aan het werk nu. De kans dat ze nog deze week met spoed naar Italië worden gehaald, is niet echt groot. Er is nog steeds geen enkele reactie. Van Milaan niet, maar ook van de andere clubs niet. Het YouTube-filmpje is bijna niet bekeken. En de reacties die eronder staan, zijn allemaal even kinderachtig.

Eigenlijk schaamt hij zich een beetje voor de mailtjes die hij gestuurd heeft. Dacht hij nou echt dat ze op hem zaten te wachten? Dat ze het filmpje zouden bekijken en zouden zeggen: 'Dit is de nieuwe Ronaldo!' Dacht hij echt dat de directeur van AC Milan met gierende banden naar Friesland zou rijden, en hem zou smeken om naar Italië te komen?

Matteo gaat overeind zitten. Oké. Niet meer aan denken. Spreekbeurt. Voetbal.

Vanuit de gang klinkt geklepper van de brievenbus. Bonkende voeten denderen de trap af. Gefluister. Gegiechel. En dan ineens de stem van Ramona. 'Yes!'

'Ja?' Dat is de stem van Valentina. 'Is hij er? Echt? Laat zien. Yes!' De deur van de kamer vliegt open. Valentina en Ramona vallen bijna over elkaar heen.

'Matteo! Matteo! Je hebt een brief.'

Matteo kijkt verbaasd op. Een brief? Voor hem?

'Hier!' zegt Valentina. Ze geeft hem de envelop.

Ramona springt opgewonden op en neer. 'Lees nou, lees nou!'
Matteo scheurt de envelop open. Fronsend begint hij te lezen.

Beste Matteo,
Wij vinden het hartstikke leuk dat jij je hebt opgegeven voor de voetbaltestdag van sc Heerenveen.
Graag nodigen we je uit om op 2 april om 14.30
uur op ons Sportpark Skoatterwâld aanwezig te
zijn. Voor de kantine staat een tent met daarin
onze informatiebalie. Daar mag jij je bij aankomst
melden.

Nadat er een mooie foto van je gemaakt is, wordt
er het een en ander aan je uitgelegd. Dan beginnen we met de testdag. Om 16.30 uur zijn de test-
wedstrijdjes afgelopen.
Je moet je eigen trainingskleding en voetbalschoenen meenemen.

We wensen je alvast veel plezier en succes toe!
Met sportieve groeten,

De trainers van de voetbalschool van sc
Heerenveen

Niet-begrijpend kijkt Matteo van Ramona naar Valentina. 'Wat is
dit?'
Ramona grist de brief uit zijn hand en leest hem door. 'Het is een
uitnodiging', zegt ze.
'Yep', zegt Valentina, die over haar schouder heeft meegelezen.
'Een uitnodiging voor de testdag van Heerenveen.'
'De testdag van Heerenveen? Je bedoelt de talentendag? Dat kan
helemaal niet. Ik heb mezelf helemaal niet opgegeven. Ik was al
te laat.' Matteo is even stil. Zijn ogen worden donker. 'O. Wacht
even. Ik snap het al. Eén april. Haha. Goeie grap zeg.'
'Het is morgen pas één april', zegt Ramona.
'Jullie wisten dat ik daaraan mee wilde doen, en dat ik te laat was.
En dan gaan jullie zo'n stomme nepbrief naar me sturen. Om
me erin te laten trappen. Ontzettend grappig, zeg.'
'Het is geen grap!'
'Nee! We hebben je gewoon stiekem opgegeven.'

'Omdat we zulke aardige zusjes zijn.'

'Omdat we niet naar Italië willen verhuizen, zul je bedoelen.'

'Ja, dat ook.'

Matteo gaat achteruit zitten. Hij leest de brief opnieuw. 'Is dit echt?'

Ramona klakt met haar tong. 'Nee hè! Is het echt, vraagt-ie. Over zoiets maken we geen grapjes.'

'Hoe wisten jullie dan dat die dag er was?' vraagt Matteo. Hij kan het nog steeds niet geloven.

'Van Luuk.'

'Luuk? Die jongen van jullie balletgroepje?'

'Ja, die. Die voetbalt ook, namelijk.'

'Wát? Echt waar? Luuk met de maillot? En de balletschoentjes? Voetbalt die ook?' Matteo grinnikt voor zich uit. Hij ziet het al voor zich. Hoe Luuk op zijn balletschoenen langs de verdediging probeert te komen. Hoe hij in een split valt als iemand tegen hem aan duwt.

'Is er iets mis met balletschoenen?' informeert Valentina.

'En met maillots?' zegt Ramona.

Matteo trekt zijn gezicht snel weer in de plooi. Hij moet zijn zussen niet kwaad maken, natuurlijk. Zeker nu niet. Nu ze geregeld hebben dat hij mee kan doen aan de talentendag.

'Helemaal niet', zegt hij. 'Balletschoenen kunnen best, eh ... cool zijn. En maillots ook. Ik bedoel, niet koel, maar warm. Maillots zijn vast lekker warm voor je benen.' Matteo rilt. Goed dat Jelle en Gijs hem niet horen.

Valentina zet haar handen in haar zij. 'Je moet

niet denken dat je uitgekozen wordt, hoor. Die testdag is heel streng. Vorige week waren er meer dan honderd kinderen. En maar twee hebben het gehaald.'

'En Luuk?'

Ramona zucht dramatisch. 'Luuk was helaaaaaas niet goed genoeg.'

'Pff!' zegt Valentina. 'Je was hartstikke blij, dat zei je zelf. Want anders moest-ie van ballet af.'

'Hé!' Ramona geeft haar zusje een duw. 'Dat hoef je toch niet tegen Matteo te zeggen!'

Valentina geeft een duw terug. 'Matteo weet al lang dat jij op Luuk bent.'

Duw. 'Je bent zelf op Luuk.'

Stomp. 'Niet.'

Stomp. 'Wel. Wel wel wel.'

Valentina stopt haar vingers in haar oren en zingt:'Ramona is op Luuhuuk, Ramona is op Luuhuuk.'

Ramona geeft Valentina zo'n harde duw dat ze tegen de tafel aan valt. Een vaas bloemen klettert omver. Het water stroomt over de tafel, drupt op de vloer.

'Kijk nou wat je doet!'

'Wat jíj doet, zul je bedoelen!'

Matteo wrijft over zijn neus. Langzaam komt hij overeind. Hij moet Gijs bellen. En Jelle. En Tiani. Hij moet ze het grote nieuws vertellen.

Bij de deur draait hij zich om. 'Hé, Ramona, Valentina.'

'Wát!' Ramona kijkt boos op, een natte theedoek in haar hand.

'Nou, gewoon. Hartstikke bedankt. Echt super dat jullie dat gedaan hebben.'

'Ja ja. Zorg jij nou maar dat je uitgekozen wordt. Want wij gaan dus echt niet mee naar Milaan.'

Matteo rent de trap op, twee treden tegelijk. Milaan? Wie heeft het over Milaan? Hij wil helemaal niet naar Milaan. Hij wil in Heerenveen blijven. Superfriezen!
Hij pakt de telefoon en neemt hem mee zijn kamer in. Snel toetst hij een nummer in. Dan gaat hij op zijn bed zitten.
'Hallo, met Jelle.'
'Hé, Jelle, met Matteo. Moet je horen.'

Wat moet je doen als je tijdens een belangrijke wedstrijd ineens nodig naar de wc moet?

Advies van Geert-Arend Roorda:
Je moet het aangeven aan de trainer en even eruit gaan en naar de wc gaan. Dat is heel belangrijk. Want als je nodig moet en het op moet houden, let je niet meer op het spel en je bent niet meer geconcentreerd. En dat gaat ten koste van de prestaties ... van jou en van je team!

13 Vergeet die spreekbeurt!

'We moeten een trainingsschema voor je maken', zegt Jelle. Hij tikt met zijn pen tegen zijn tanden. 'We hebben niet veel tijd meer. Alleen vanmiddag en morgenmiddag maar.'

'Ik baal!' gromt Gijs. Hij ligt op zijn rug op Jelles bed en slaat met zijn beide vuisten op het matras. 'Ik baal, ik baal, ik baal.'

'Je zou kunnen spijbelen', peinst Jelle. 'Morgenmiddag en woensdagochtend, bijvoorbeeld. Dan heb je meer tijd om te trainen.'

'Het is zo oneerlijk', gaat Gijs door. 'Waarom mag Matteo wel en wij niet?'

'Zal ik een briefje voor je schrijven?' zegt Tiani.

> Beste Meester.
> Sorry dat Matteo niet kan komen.
> Hij heeft iets zeer besmettelijks.

'En dan zet ik er de handtekening van je vader onder. Ik ben heel goed in handtekeningen, weet je.'

'Ik wou dat ik zussen had', mompelt Gijs. 'Mijn broer komt niet op zo'n idee. Nee. Mijn broer denkt alleen maar aan zichzelf.'

Matteo schudt zijn hoofd. 'Ik ben niet gek. Ik ga echt niet spijbelen.'

'Zeker weten?' zegt Jelle. 'Die scouts zijn superstreng, man.'

'Mijn mem is ook superstreng.'

'Oké dan. Niet spijbelen. Maar je moet vanaf nu echt elk vrij moment trainen. 's Morgens voor schooltijd. In de pauze. Tussen de middag. Na schooltijd. 's Avonds na het eten. Dus geen klusjes meer doen, thuis. Niet meer afwassen of de hond uitlaten of zo.'

'En geen huiswerk, natuurlijk', zegt Tiani streng. 'Absoluut geen huiswerk.'

Gijs maakt een snavel van zijn hand. 'Kwek kwek kwek.'

'Hé!' roept Jelle boos. Hij draait zich om naar Gijs. 'Houd je nou eens op? Je doet echt heel flauw, weet je dat?'

Gijs komt overeind. Zijn ogen staan op storm. 'Ik baal er gewoon van, oké? Dat Matteo wel meedoet en ik niet. Wij niet, bedoel ik.'

'Maar dat kan Matteo toch niet helpen?' zegt Tiani.

'Maar dat kan Matteo toch niet helpen!' bauwt Gijs haar na. 'O nee? Wie wist er het eerst van die talentendag? Matteo. Maar hij zei niks.'

'Kom op. Hij was het gewoon vergeten.'

'Ja', zegt Matteo. Een akelig gevoel draait rond in zijn maag. 'Ik was het gewoon vergeten.'

'Ik snap niet hoe je zoiets kunt vergeten.' Gijs kijkt Matteo fel aan. 'Dat snap ik echt niet. Als je ons gelijk gebeld had, waren wij ook nog op tijd geweest.'

'Dat weet je niet', zegt Tiani. 'Je weet niet of we dan op tijd waren geweest.'

'Het is Achmeds schuld', zegt Jelle. 'Achmed had het gewoon eerder moeten zeggen. Kom op, man. Doe nou niet zo moeilijk. Wij doen volgend jaar mee.'

'Als we niet vóór die tijd door Madrid gescout zijn', zegt Tiani.

Gijs haalt diep adem. Het is alsof hij iets wil zeggen. Maar dan springt hij op, loopt de kamer uit, de trap af. De voordeur slaat met een klap dicht.

Tiani trekt het raam open en leunt naar buiten. 'Hé!' roept ze. 'Doe niet zo stom, man! Kom terug.'

'Laat hem maar', zegt Jelle. 'Als hij niet mee wil doen, hebben we er ook niks aan.'

'Laten we de anderen bellen', stelt Tiani voor. 'Die willen vast wel voetballen. Hoop ik.'

'Oké.'

Jelle en Tiani rennen samen naar beneden. Matteo blijft achter. Hij wrijft met twee handen over zijn gezicht. Wat heeft hij verkeerd gedaan? Waarom is Gijs zo boos?

Nee. Waarom doet Gijs zo stom? Dat kan hij beter vragen. Waarom gunt Gijs het hem niet? Ze zijn toch elkaars beste vrienden?

Zijn? Waren.

'Ze komen!' Tiani rent de slaapkamer in. 'We hebben Arif gebeld, en Joël en Maranke. En ze komen alle drie. Ga je mee?'

Matteo schudt zijn hoofd. 'Ik denk dat ik naar huis ga.'

'Wat?'

'Ik ehm ... ik heb donderdag mijn spreekbeurt.'

Jelle pakt Matteo bij de schouders en schudt hem door elkaar. 'Vergeet die spreekbeurt, man! Het gaat om je toekomst. Je voetbaltoekomst. Wil je door blijven klungelen of wil je goed worden. Daar gaat het om.'

'Ik weet niet.' Matteo kijkt naar buiten. 'Misschien kan ik beter volgend jaar meedoen. Samen met jullie.'

Jelle grijpt naar zijn hoofd. 'Nou ja. Dat is echt de grootste onzin die ik ooit gehoord heb.'

'Het is zeker om Gijs', zegt Tiani.

'Nee.'

'Tuurlijk wel. Je moet niet zo stom doen, man. Doe nou gewoon mee met die voetbaldag. Je weet helemaal niet of je gescout wordt.'

'Tjonge, dat is een goeie instelling', zegt Jelle geërgerd. 'Tuurlijk wordt-ie gescout.'

'Achmed zei het toch zelf? Dat de kans maar heel klein is?' Tiani werpt Jelle een waarschuwende blik toe.

Jelle krabt aan zijn nek. 'O ja, dat is ook zo. Nou, dan kun je best meedoen, Matteo. Jij gaat het gewoon even uitproberen. Voor ons allemaal. En dan leer je ons hoe het gaat. Wat we moeten doen en zo. En volgend jaar doen we met z'n allen mee. Oké?'

'Eh ...'

'Zeg nou maar ja', zegt Tiani ongeduldig. 'Joël en Maranke en Arif zijn al op weg naar het veldje. We kunnen ze toch niet voor niks laten komen?'

'En m'n spreekbeurt dan?'

'Hallo! Die is toch al lang af? Je hebt Geert-Arend Roorda toch geïnterviewd?'

'Nee.'

'Wat? Heb je hem niet geïnterviewd? Je hebt hem toch gebeld?'

'Jawel. Maar ik ben helemaal vergeten om hem te interviewen. Ik vroeg hoe hij voetballer geworden was. En toen zei hij: "Waarom wil je eigenlijk naar Milaan, waarom ga je niet bij Heerenveen?" En dat daar een supergoeie voetbalschool is en zo. En toen vertelde hij over die talentendag, en dat daar dan scouts komen die op zoek zijn naar talent. En toen dacht ik: ik moet me opgeven. Daarom heb ik snel neergelegd.'

'Maar je hebt zijn nummer toch?' zegt Tiani. 'Waarom bel je hem niet nog een keer?'

'Echt niet. Ik ben niet gek. Ik ga hem niet nog eens bellen.'

'Vind ik ook', zegt Jelle. 'Trouwens, daar heb je ook helemaal geen tijd voor. Vanaf nu mag je alleen nog maar denken aan voetbal.' Hij zet zijn wijsvingers tegen zijn slapen en doet zijn ogen dicht. 'Voetbal, voetbal, voetbal. Snap je? Voetbal! Kom op, we gaan.'

Als ze bij het veldje aankomen, zijn Arif, Maranke en Joël al aan het voetballen.

'Hé, Matteo!' roept Maranke enthousiast. 'Cool, man!'

'We gaan je trainen!' roept Arif.

'Zonder ons red je het niet', zegt Joël. Hij schopt de bal omhoog, vangt hem op zijn knie, en wipt hem weer op.

'Echt balen dat jullie niet meer kunnen meedoen', zegt Matteo.

Joël wuift met zijn hand. 'Geeft niks. Ik doe volgend jaar wel mee.'

'Ik ook', zegt Maranke. 'Dan ga ik meedoen met de keeperdag.'

'Ik ga echt niet meedoen', zegt Arif. 'Straks word ik nog gescout.'

'Duhuh. Dat is juist de bedoeling.'

'Maar ik wil helemaal niet op die voetbalschool. Daar zijn ze natuurlijk hartstikke streng, en dan zeggen ze dat ik geen patat meer mag.' Arif klopt op zijn buik. 'De schooldokter zat ook al zo te zeuren. Dat ik te zwaar was.'

Matteo lacht. Het vervelende gevoel begint eindelijk een beetje weg te zakken. 'Wat een onzin. Je bent broodmager, man.'

'Oké', zegt Jelle, terwijl hij zijn trainingsschema uitvouwt. 'We gaan eerst inlopen. Daarna doen we rondo. Daarna bal hooghouden. En dan een partijtje.

Kom op, mannen. We hebben een belangrijke taak. We moeten Matteo klaarstomen voor de talentendag.'

Rondo
Een stuk of zes spelers staan in een kring. Twee spelers staan in het midden. De buitenste spelers schieten de bal naar elkaar toe. De spelers in het midden moeten hem proberen af te pakken (niet met de hand natuurlijk).
Goed voor je balbeheersing!
De spelers van sc Heerenveen gebruiken deze trainingsvorm ook.

14 Blindedarm

'Vooruit, Matteo', zegt mem. 'Je moet iets eten.'
'Ik kan niet eten', zegt Matteo. Hij schuift zijn bord weg.
'Ik heb buikpijn.'
'Van de zenuwen', zegt Valentina. Ze knikt met volle mond.
'Hebben wij ook altijd voor een balletuitvoering. Hè, Ramona?'
'Helemaal niet', zegt Ramona. 'Ik ben nooit zenuwachtig voor
een uitvoering. Jíj bent zenuwachtig. Weet je nog van die keer
dat je ging overgeven? Op het podium?'
'Toen ik vijf was!' zegt Valentina verontwaardigd. 'Dat hoef je
echt niet te vertellen.'
'Dat was goor, man. En iedereen moest door die kots heen dan-
sen.'
Valentina begint te zingen met haar vingers in haar oren.
'Nènènènènè. Ik hoor het lekker toch niet.'
'Kom op, dames', zegt mem. 'Niet zo flauw doen. Er gaat hier
niemand overgeven. Maar je moet echt wat eten, Matteo. Als je
geen brood wilt, neem je maar yoghurt met
muesli. Je denkt toch niet dat die Geert-
Arend Roorda van jou met een lege
maag het veld opgaat? Je hebt koolhydraten nodig. Anders heb je geen
energie.'
'Ik ga echt geen kool eten.' Matteo
rilt. Hij wordt al misselijk bij het idee.

Vieze, stinkende kool.

'Geen kool, dombo!' zegt Ramona. 'Koolhydraten! Daar krijg je energie van.'

'Precies', zegt mem. 'Koolhydraten zijn een soort benzine. Maar dan voor je lichaam. Het zit in brood en in rijst en in spaghetti. Je hebt toch wel eens gehoord van wielrenners? Dat die altijd zo veel spaghetti eten? Dat is om genoeg koolhydraten binnen te krijgen. Anders kunnen ze nooit tweehonderd kilometer fietsen.'

'Er is nog spaghetti in de koelkast!' zegt Valentina. Ze springt meteen op. 'Zal ik het in de magnetron zetten?'

'Heb je daar zin in, Matteo?' vraagt mem. 'In spaghetti?'

Matteo haalt zijn schouders op. 'Ik weet niet.'

'Maak de spaghetti maar even warm, Valentina.'

Matteo gaat met zijn gezicht op zijn armen liggen. Hij voelt zich helemaal niet lekker. Misschien wordt hij wel ziek. Niet van de zenuwen, natuurlijk. Maar gewoon van iets echts. Zou Gijs weer tegen hem praten als hij niet mee zou doen? Gisteren en vandaag deed hij net of hij Matteo niet zag. En in de pauzes voetbalde hij niet, maar deed hij tikkertje. Met de meiden.

Matteo voelt met de rug van zijn hand aan zijn voorhoofd. Zie je wel? Warm. Warm en zweterig. Hij wist het wel. Hij heeft koorts. Daarom heeft hij natuurlijk ook zo'n pijn in zijn benen. En in zijn buik.

'Mem? Hoe weet je dat je een blindedarmontsteking hebt?'

'Aha', zegt mem. 'Heb je een blindedarmontsteking? Laat eens voelen.'

Matteo leunt achterover. Mem drukt op zijn buik, vlak boven zijn navel. 'Doet het hier pijn?'

'Ja.'

Mem drukt nog een keer, nu wat lager. 'En hier?'

'Ja.'

'En hier?'

'Ja.'

'Oei.' Mem trekt een bezorgd gezicht. 'Volgens mij moeten we meteen naar de Eerste Hulp.'

'Echt?'

'Nee, natuurlijk niet, Matteo. Er is niks met je aan de hand.'

'Maar vind je me niet een beetje warm?'

Mem voelt aan zijn voorhoofd. 'Nee. Helemaal niet. Ik vind je precies goed. En die buikpijn komt gewoon van de zenuwen. Moet je misschien even naar de wc?'

'Mem!'

'Nou ja, dat zou toch kunnen?'

'Heeft Valentina ook altijd', zegt Ramona. 'Die moet ook altijd diarreeën voor de uitvoering.'

Mem kijkt haar streng aan. 'Ramona. Zulke smerige taal wil ik niet horen aan tafel.'

'Maar het is toch zo?'

'Wat is zo?' vraagt Valentina. Ze komt de keuken uit met een bord warme spaghetti in haar handen en zet dat voor Matteo neer. 'Hier.'

Matteo springt op van tafel. 'Sorry. Ik moet effe naar de wc.'

Een uur later fietst Matteo naar Sportpark Skoatterwâld. Zo langzaam als hij kan. Als hij een beetje zijn best doet, komt hij veel te laat. Kan hij mis- schien niet meer meedoen.

Hij moest wel gaan. Ramona en Valentina hebben hem bijna het huis uit geduwd. Het liefst waren ze met hem meegegaan. 'We mogen je toch zeker wel aanmoedigen!' Gelukkig heeft mem daar een stokje voor gestoken. 'Laat die jongen met rust. Hij is al zenuwachtig genoeg.'

De zon schijnt, maar Matteo rilt van de kou. Of is het van de zenuwen? Hij trekt de rits van zijn trainingsjas wat hoger. Zijn klamme handen veegt hij af aan zijn broek. Waarom is hij hier ooit aan begonnen? Kan hij nog terug? Als hij ergens zin in heeft, is het wel in een rustige woensdagmiddag. Computeren. Tv-kijken. Beetje voetballen op straat.

'Hé, Matteo!'

Matteo kijkt om. Hij fronst. Gijs? Wat doet die hier? Waarom komt hij achter hem aan racen? 'Hoi.'

'Hé.' Gijs komt naast hem fietsen. Hij ziet er een beetje verlegen uit. 'Eh ... ik heb wat voor je.' Hij haalt een plastic flesje uit de zak van zijn jas. Een flesje sportdrank.

'Hier. Van m'n zakgeld.'

'Dank je.' Matteo steekt het flesje in zijn zak. Hij snapt er niks van. Waarom doet Gijs ineens zo aardig?

Gijs kijkt voor zich uit, zijn lippen stijf op elkaar geklemd. Dan kijkt hij heel even opzij. 'Nou ja. Wat ik wou zeggen – sorry. Van gisteren. Dat ik zo deed.'

Matteo knikt. 'Jij ook sorry.'

Snel kijken ze allebei weer voor zich uit. Er hoeft niets meer gezegd te worden. Sorry is genoeg. Sorry is: 'Ik schaam me dood dat ik zo stom deed. Dat ik jaloers op je was. Laten we weer vrienden zijn. Oké?'

Sorry is: 'Oké, oké, ik dacht ook wel een beetje erg alleen aan mezelf. Ik snap best dat je boos was. Ik zou ook gebaald hebben als jij mee mocht doen en ik niet.'

Ineens hoort Matteo zichzelf vragen: 'Wou je soms mee?'

Gijs kijkt hem verrast aan. 'O ja, vind je dat goed?'

'Tuurlijk.'

Matteo kan zichzelf wel voor de kop slaan. Wat is hij toch een stommerd. Waarom vraagt hij dat nou? Hij wil helemaal niet dat er iemand komt kijken.

'Komen Jelle en Tiani ook?'

'Nee.' Dat is ze geraden, tenminste. Hij heeft ze bezworen om thuis te blijven. Niemand hoeft te zien hoe hij afgaat.

'Echt niet? Wat gek. Nou, dan is het maar goed dat ik kom. Anders ben je helemaal alleen. Ik zal je wel coachen. Oké?'

'Nee, nee, coachen hoeft niet', zegt Matteo snel. 'Volgens mij mag dat niet. Ze hebben hun eigen trainers, daar.'

'Oké. Dan ga ik je wel filmen.' Gijs haalt zijn mobieltje tevoorschijn en richt het op Matteo. 'Dan kun je later terugzien hoe je het gedaan hebt. Wat er goed ging, en wat er fout ging. Niet dat er iets fout gaat, natuurlijk. Dat denk ik helemaal niet.'

Matteo schraapt zijn keel. 'Nou, nee, doe maar niet.'

'Ben je gek, ik heb mijn mobieltje toch bij me. Geen probleem, man. Ik film je gewoon, oké? En later, als je dan bij Jong Oranje speelt, dan laten ze dat op de tv zien. Bij Studio Sport. Matteo Salvatore op de dag dat hij gescout werd. Regie: Gijs Wouda. Camera: Gijs Wouda. Geluid: Gijs Wouda.'

Hoe dichter ze bij het sportpark komen, hoe drukker het wordt. Auto's rijden bumper aan bumper in de richting van het voetbalveld. Het grote parkeerterrein staat al bijna helemaal vol. Overal lopen kinderen.

Vlak voor hen stopt een grote, zwarte auto. Twee jongens in trainingspak springen eruit en rennen naar de ingang.

'Is dat niet die tweeling uit Sneek?' vraagt Gijs, terwijl hij zijn fiets neerzet. 'Volgens mij wel. Die kunnen dus echt helemaal niet voetballen, hè. Haha! En moet je die daar zien.'

Hij wijst naar een meisje dat een bal probeert hoog te houden, maar hem de hele tijd laat vallen. 'Je knie, sufferd! Pak hem met je knie! O nee. Laat ze hem weer vallen. Zie je nou dat jij beter bent? Dit wordt echt een eitje, man.'

Matteo slikt. Zijn maag knijpt samen. Zijn benen voelen zwaar. Alsof ze eigenlijk de andere kant op willen. Maar toch lopen ze gewoon achter Gijs aan. Onder de grote, groene opblaaspoort door, het sportpark op, in de richting van de blauwe tent.

Het lijkt wel of er een groot feest aan de gang is. Vanuit de luidsprekers klinkt muziek, er is een springkussen, een pannakooi, een tentje waar voetbalspullen worden verkocht. En overal rennen jongens met ballen rond.

Een jonge man in een lichtblauwe trui komt op hen af. 'Hallo. Jullie doen mee aan de talentendag?'

'Hij', zegt Gijs met een knikje naar Matteo. 'Ik niet. Ik doe volgend jaar mee. Behalve als jullie nu nog plaats hebben?' Hoopvol kijkt hij naar de jongen op.

Die schudt zijn hoofd. 'Sorry. Jij heet?'

'Matteo.'

'Oké, Matteo, kom even mee. We gaan een foto van

je maken, en daarna mag je je inschrijven.'

'Hé, dat is Michael Dingsdag!' roept Gijs enthousiast. 'Ik ga even, hoor. Ik moet zijn handtekening nog hebben.' Hij rent in de richting van de Heerenveenspeler, die met een groepje jongens staat te praten.

Matteo laat zijn adem ontsnappen. Pff. Die is weg. Niet dat hij niet blij is dat ze weer vrienden zijn, natuurlijk. Maar op het moment wordt hij vooral heel, heel zenuwachtig van Gijs.

'Ga daar maar staan', zegt de fotograaf. Hij wijst naar een levensgrote, kartonnen Geert-Arend Roorda, die recht in de camera kijkt, zijn handen op zijn rug, zijn benen een beetje uit elkaar. Matteo gaat ernaast staan. Hij klemt zijn lippen op elkaar.

'Kijk een beetje vrolijker, man', klinkt een bekende stem. 'Ze eten je echt niet op.'

Moet je Fries kunnen spreken als je bij sc Heerenveen wilt spelen?
Nee.
Geert-Arend Roorda: Er spreekt bijna niemand Fries in de selectie, dus er wordt gewoon Nederlands en Engels gesproken. Soms een beetje Spaans of Portugees. En de Scandinaviërs onder elkaar spreken Scandinavisch.'

15 Kappen en draaien

Matteo kijkt verbaasd opzij. Dat is Geert-Arend! De echte! In z'n Univé-trui en donkerblauwe trainingsbroek.

'Hé, hoi!' wil hij zeggen. Maar er komt alleen een hees gepiep uit zijn mond.

Help. Nu kan hij ook al niet meer praten.

'Mag ik ook op de foto?' vraagt Geert-Arend aan de fotograaf. 'Dit is een vriend van me.' Hij gaat naast Matteo staan en legt een hand om zijn schouders.

De fotograaf steekt zijn duim op. 'Dat is een mooi plaatje. Tussen twee Roorda's in. Kan niet beter, jong. Effe lachen, graag. Heel goed. Dankjewel.'

'En? Heb je er een beetje zin in?' vraagt Geert-Arend, terwijl hij met Matteo meeloopt.

Matteo haalt zijn schouders op. 'Beetje.'

'Ben je zenuwachtig?'

Matteo knikt. Hij wrijft over zijn koude handen.

'Is nergens voor nodig. Echt waar. Je houdt van voetballen, toch? Nou, dat ga je doen, vanmiddag. Lekker voetballen. Dat is alles.'

'Maar er zijn scouts!'

Geert-Arend buigt voorover. Hij legt zijn handen op zijn knieën en kijkt Matteo recht aan. 'Luister. Maak je niet druk om de scouts. Maak je niet druk om hoe andere spelers het doen. Ga gewoon voetballen. Net zoals je altijd doet. Net zoals vorige week, op dat veldje. Speel zoals je toen speelde. Dan komt het helemaal goed. Oké?'

Matteo knikt langzaam. Hij haalt diep adem. De frisse lentelucht stroomt zijn longen binnen. Maar het is alsof hij tegelijk iets anders inademt. Moed. Zelfvertrouwen. Zin om te voetballen. Als Geert-Arend zegt dat hij het kan, dan kan hij het. Toch?

'Ik kan het', zegt hij zachtjes tegen zichzelf. 'Ik kan het, ik kan het, ik kan het.'

Een goudkleurige Adidasbal komt vlak voor zijn voeten terecht. Zonder na te denken houdt hij hem tegen, wipt hem op, vangt hem op zijn knie, zijn voorvoet, zijn andere knie, en legt hem in zijn nek.

'Zie je nou wel?' zegt Geert-Arend. 'Je kunt het.'

'Hé, mag ik m'n bal terug?' roept een jongen.

'Sorry!' roept Matteo. Hij laat de bal van zijn nek rollen en schiet hem terug. Dan kijkt hij op naar Geert-Arend. Hij lacht.

'Bedankt hè. Ik geloof dat ik me ineens een stuk beter voel.'

Matteo schrijft zich in. De man achter de tafel geeft hem een briefje met een nummer erop. 'Alsjeblieft. Dit is het nummer van het hesje dat je straks krijgt.'

Met het briefje in zijn hand gaat Matteo de kantine in. Die zit al vol met vaders, moeders, opa's en kinderen. En met mannen in lichtblauwe Univé-truien. Zouden dat de scouts zijn? Nee. Natuurlijk niet. Scouts zijn een soort spionnen. Die proberen er zo onopvallend mogelijk bij te lopen.

Die oude man daar in de hoek. Met dat jasje en die pet. Hij ziet eruit als een van de opa's. Maar het is een scout. Vast.

Gijs komt binnenlopen, zwaaiend met een paar fotokaarten. Hij dringt zich langs een paar tafeltjes en ploft naast Matteo op een stoel neer.

'Hé, Matteo, dus daar was je. Ik zag je nergens. Moet je zien. Ik heb een handtekening van Dingsdag. En van Poulsen. Cool hè? Wat heb jij gedaan?'

'Ik ben met Geert-Arend Roorda op de foto geweest.'

'O ja, met die Geert-Arendpop. Grappig hè. Die lijkt precies echt.'

'Hij was echt.'

'Ja, duh.'

Een man in trainingspak neemt het woord. Hij heet iedereen welkom, en legt uit wat de bedoeling is. 'Jullie gaan straks naar de kleedkamers. Daar hangt het hesje met je nummer klaar. Aan de kleur kun je zien in welk team je zit. Elk team gaat onder leiding van een trainer een aantal oefeningen doen. En daarna spelen jullie een paar wedstrijdjes.

Luister goed naar de aanwijzingen die je krijgt. Gedraag je sportief. Speel zo goed als je kunt. En maak er een leuke middag van. Want daar gaat het ons om. Dat jullie een leuke voetbalmiddag hebben. Succes!'

Het is het startsein voor een zenuwachtige drukte. Stoelen worden opzij geschoven. Kinderen haasten zich naar de kleedkamers, op zoek naar het hesje waar hun nummer op staat. Hier en daar ontstaat verwarring.

'Dit is mijn nummer.'

'Nee, man, dat is mijn nummer.'

'Kijk dan! Achttien! Dat ben ik.'

'Duh. Dit is eenentachtig.'

Een paar ijverige moeders beginnen hun zoons in hun hesjes te helpen.

'Mem! Niet doen! Dat kan ik zelf!'

'Wacht even, je veters zitten los, laat me dan tenminste ...'

'Nee!'

Vaders proberen nog wat laatste goede raad te geven.

'Denk erom, Storm. Je gaat niet beleefd zitten doen. Je laat je de bal niet afpakken!'

'Heit! Ssst!'

'Denk aan wat we geoefend hebben. Kappen en draaien. Kappen en draaien.'

'Heit!'

Matteo pakt zijn nummer achtendertig van de haak. Hij propt zijn trainingsjas in zijn tas en trekt het groene hesje over zijn hoofd. Wat een geluk dat papa niet meegekomen is. Papa is nog veel erger. Die gaat Italiaans lopen schreeuwen als hij naar een wedstrijd kijkt. En hij vindt het ook heel gewoon om Matteo na een wedstrijd te omhelzen en op beide wangen te kussen. Zomaar, waar iedereen bij is.

'Opzij, opzij!' klinkt de stem van Gijs. Hij elleboogt zich de kleedkamer binnen en richt zijn mobieltje op Matteo. 'En hier ziet u Matteo Salvatore. Op de dag die het begin zou worden van zijn profcarrière. Matteo. Wat gaat er door je heen op dit belangrijke moment?'

'Doe dat ding weg!' sist Matteo. 'En hou je kop, man! Iedereen kijkt!'

'U ziet het, dames en heren. De zenuwen worden hem iets te veel.'

Matteo springt naar voren en wringt Gijs' mobieltje uit zijn hand. 'En nou houd je op!'

'Hé! Geef m'n mobiel terug!'

99

Matteo gaat op de bank staan, en houdt het mobieltje zo hoog dat Gijs er niet meer bij kan. 'Beloof dat je ermee stopt. Anders gooi ik hem door de wc.'

'Geef terug!'

'Alleen als je ophoudt.'

'Oké, oké.'

Matteo springt van de bank af, gooit het mobieltje op tafel en wringt zich de kleedkamer uit. Stomme Gijs. Hij had hem gewoon moeten verbieden om mee te gaan.

Als hij buiten staat, slaakt hij een zucht van opluchting. Frisse lucht. Zon. Muziek. Voetbal! Hij kijkt rond over het terrein. Het grote voetbalveld is vandaag opgedeeld in zes kleine veldjes. Kinderen in bontgekleurde hesjes rennen rond, op zoek naar hun team.

'Hé, jij bent ook groen', zegt een jongen.

Matteo kijkt opzij. Hij knijpt zijn ogen halfdicht. 'Hoi. Ik ken jou. Jij bent ...'

'Sjoerd', zegt de jongen. 'Ik zit op Bolsward.'

'O ja! Nu weet ik het. Jij bent de rechtsback!'

'En jij bent de linksbuiten.'

'Klopt. Dus nu zitten we eindelijk een keer in hetzelfde team.'

'Mooi. Dan hoef ik je tenminste niet tegen te houden als je probeert te scoren.'

'Heb jij dit al eens vaker gedaan?' vraagt Matteo, terwijl ze samen verder lopen.

Dit is al m'n derde keer.'

'Echt waar? En ben je dan nog niet gescout?'

'Nee, tuurlijk niet. Dit jaar ook niet. Dat weet ik nu al. Er wordt bijna nooit iemand gescout. Maar het is gewoon leuk. Daarom

doe ik mee. O nee. We zitten bij die jongens uit Sneek. Die kunnen echt niet voetballen.'

Matteo knikt. 'Ik weet het. Maar dat meisje wel.' Hij wijst naar een Chinees uitziend meisje met een beugel en een paardenstaart, dat een bal aan het hooghouden is. Matteo herinnert zich haar van een voetbalwedstrijd. Ze komt uit Drachten, en is een van de beste spelers van haar team. Li-Anne heet ze.

De trainer, een donkere jongen van een jaar of achttien, zet een paar pylonnen uit.

'Heb ik iedereen bij elkaar?' vraagt hij, terwijl hij het groepje overziet. 'Goed. Ballen op de grond, graag. Ik zal me eerst even voorstellen. Ik ben Arnout. Ik doe de voetbalopleiding bij sc Heerenveen. En vandaag ben ik voor één dag jullie trainer.

We beginnen met wat oefeningen. En daarna doen we een paar wedstrijdjes. Oké?'

Niemand zegt iets. 'Heel goed. Ik wil één speler in het doel, en de rest van jullie achter elkaar bij die pylon. Ik schiet de bal naar je toe. Je neemt hem aan, controleert hem, loopt om de volgende pylon heen en schiet op het doel. Daarna neem je de plaats van de keeper over. En de keeper komt hierheen en sluit achteraan in de rij. Duidelijk?'

Het laatste restje zenuwen glijdt van Matteo af. Dit is bekend terrein. Hier is hij goed in.

Als hij aan de beurt is, neemt hij de bal aan, rent ermee naar voren, draait om de pylon heen, kijkt en schiet. Goal! Veel te makkelijk, natuurlijk. Een pylon is geen echte tegenstander. Normaal moet je eerst langs de verdediging zien te komen.

'Nu gaan we het een beetje moeilijker maken', zegt Arnout, als ze allemaal een paar keer geweest zijn. Hij haalt de pylon weg.

'Jullie gaan om de beurt aanschieten naar de voorste in de rij. En ik ben een verdediger. Probeer mij te passeren en te scoren.'

Matteo springt op en neer. Hij grijnst naar Sjoerd. Die steekt zijn duim op. Dit wordt leuk. Een duel.

Een van de jongens uit Sneek schiet de bal naar hem toe. Matteo rent ermee naar het doel. Als in slow motion ziet hij Arnout op zich af komen. Armen en benen gebogen, bovenlichaam naar voren. Een tijger die elk moment toe kan springen. Te groot. Veel te groot voor hem. Hoe kan hij hem ooit passeren? Razendsnel schat hij zijn kansen in.

Met de buitenkant van zijn voet schuift hij de bal naar rechts. Arnout gaat mee. Maar intussen heeft hij de bal al overgepakt met zijn binnenvoet. Hij schiet naar links. Dwars tussen de benen van Arnout door. Tegen de paal. Met twee handen grijpt hij naar zijn hoofd. Paal! Wat een pech!

'Hé, Ronaldinho!' roept Sjoerd enthousiast.

Matteo schudt zijn hoofd. Ronaldinho? Helemaal niet! Ronaldinho schiet niet tegen de paal.

De twee jongens uit Sneek lukt het niet om langs Arnout te komen. Ze struikelen over de bal, draaien, en raken elk gevoel voor richting kwijt. Sjoerd gaat zo op in het duel dat hij boven op de bal valt. Li-Anne weet Arnout te passeren, maar schiet de bal in de handen van de keeper.

Een fluitsignaal maakt een eind aan de training.

'Goed gedaan', zegt Arnout. 'Drink even wat, als je wilt. We gaan zo een paar wedstrijdjes doen.'

Hij haalt een vel papier uit zijn broekzak, vouwt het uit en bestudeert het. 'We blijven op dit veld. Jullie spelen eerst tegen het gele team.'

Hij kijkt op. 'Dit zijn best lastige wedstrijden. Dit is de eerste keer dat jullie samenspelen. Jullie kennen elkaar nog niet. Jullie weten nog niet wat elkaars sterke en zwakke kanten zijn. En je kunt erop rekenen dat je tegenstanders behoorlijk sterk zijn. Let goed op elkaar. Maak er geen soloactie van. Alleen als je echt samenspeelt, kun je winnen.'

Zijn profvoetballers ook wel eens zenuwachtig voordat ze het veld op gaan?
En wat moet je dan doen?

Geert-Arend Roorda: Ik ben wel eens een beetje zenuwachtig voordat ik moet spelen. Maar dan denk ik eraan dat ik ervan moet genieten dat ik het mag meemaken om in een vol stadion te spelen en dat het altijd mijn droom was. Ik zeg tegen mezelf dat ik goed kan voetballen en dat ik dus gewoon ga doen waar ik goed in ben. En dat ik fouten mag maken! Dan gaan de zenuwen weg en ben ik vooral aan het genieten.

16 Goed gespeeld

Vanaf het eerste fluitsignaal stort Matteo zich helemaal in de wedstrijd. Hij rent, springt, kopt, valt. Hij neemt aan, draait en passt. De muziek die over het veld schalt, hoort hij niet. De toeschouwers die langs de lijn staan te kijken, ziet hij niet. Het enige wat hij ziet, is de bal.

En Sjoerd.

Zonder dat ze het afgesproken hebben, is die steeds bij hem in de buurt. Als Matteo op een verdediger stuit, staat Sjoerd al vrij. En als Sjoerd vastloopt, passt hij de bal naar Matteo. Het lijkt wel of ze al jaren samenspelen.

Li-Anne zorgt voor de verdediging. Maar ze moet het bijna alleen doen. De tweeling uit Sneek is niet echt fanatiek. 'Hé, nummer drie en vier!' roept Arnout. 'Ga achter die bal aan! Kom op! Dek die man! Lopen! Lopen, zeg ik! Jullie vallen bijna om, zo langzaam zijn jullie!'

De twee broers sjokken op de bal af. Die ondertussen al lang weer weg is. Matteo gromt iets tussen zijn tanden. Wie heeft die jongens in hun team gezet? Ze kunnen helemaal niet voetballen. Ze zijn veel te beleefd. Als ze de bal een keer hebben, laten ze hem meteen weer afpakken.

Al het werk komt op Sjoerd, Li-Anne en hem terecht. Eigenlijk spelen ze drie tegen vijf. Tegen een team dat per se wil winnen. En het lijkt erop dat ze dat nog gaan doen ook. Na een overtreding van Li-Anne scoren ze vanuit een vrije trap. En nog geen minuut later rent een groot, blond meisje Matteo omver, gaat er met de bal vandoor en verandert de stand in twee-nul.

Matteo werpt Sjoerd een ongeruste blik toe. Ze moeten wat doen. Ze zijn hier niet om te verliezen. Sjoerd balt zijn vuist. 'Kom op', zegt hij geluidloos.

Matteo knikt. Na het fluitsignaal schiet hij de bal naar Sjoerd. Die schiet hem terug. Een jongen van het gele team komt op Matteo af rennen. Maar Matteo is al weg, de bal aan zijn voet. Een andere tegenstander probeert hem de weg te versperren: het blonde meisje, dat hem zonet omver heeft gegooid. Matteo aarzelt heel even. Links – rechts – middendoor? Het is al te laat. Het meisje gooit zich in volle kracht tegen hem aan, en probeert de bal onder zijn voet uit te schoppen.

Heel even voelt Matteo een machteloze woede in zich opkomen. Niet weer. Niet weer de bal kwijtraken aan een meisje. Kom op! 'Houd hem!' schreeuwt Li-Anne.

Matteo duwt terug, zo hard hij kan. Hij draait, zijn voet op de bal, en passt naar Sjoerd. Die neemt de bal aan en rent naar het doel. Matteo wil zo snel wegkomen dat hij over de benen van zijn tegenstandster struikelt.

'Hé, kun je niet uitkijken!' hijgt het meisje boos.

Matteo springt overeind en rent zo hard hij kan naar het doel. 'Pass!' schreeuwt hij. 'Pass!'

Sjoerd passt. Matteo neemt de bal aan, ontwijkt een tegenstander. De keeper komt zijn doel uit. Matteo schiet van opzij. Goal! 'Mooi!' roept Sjoerd. Matteo rent rondjes over het veld, zijn armen wijd uitgestrekt. Twee-één! Zie je wel dat hij het kan?

Li-Anne weet in een onbewaakt ogenblik twee-twee te scoren. En een paar minuten later maakt Sjoerd er vanuit een voorzet van

Matteo drie-twee van.

De scheidsrechter fluit twee keer. Matteo veegt het zweet uit zijn ogen. Gewonnen! Ze hebben gewonnen! Hij geeft Sjoerd en Li-Anne een high five.

'Goed gespeeld.'

'Jij ook.'
'Mooie goal.'

De tweede wedstrijd verliezen ze, de derde winnen ze op het nippertje. De zon is al achter de bomen verdwenen als de scheidsrechter voor de laatste keer fluit. Matteo is bekaf.
'Goed gespeeld, jongens', zegt Arnout. 'Voor een team dat nooit eerder heeft samengespeeld, hebben jullie een paar mooie wedstrijden neergezet. Dat gele team was erg sterk.'
'Vooral dat meisje', zegt Matteo. 'Volgens mij zit ze op sumoworstelen. Ze leek net een kanonskogel, zo hard gooide ze zich tegen je aan.'
'Ze viel op je', zegt een van de jongens van Sneek.
'Letterlijk', zegt zijn broer.
Matteo rolt met zijn ogen. 'Heel grappig.'
Arnout gooit de ballen in een net en pakt zijn spullen bij elkaar.
'We zijn klaar voor vanmiddag. Bedankt, jongens. Jullie mogen naar de kantine.'

Matteo rent naar het hek waar hij zijn tas heeft neergegooid. Hij hurkt neer, pakt zijn flesje sportdrank, en neemt een paar grote slokken.
'Hé, Matteo', zegt Tiani. Ze slaat hem op zijn rug. 'Goed gespeeld.'
Matteo draait zich verbaasd om. Tiani? En hoe komen Jelle, Auke, Joël en Maranke hier?
'Ik had ze maar effe gebeld', legt Gijs uit. 'Die anderen hebben allemaal hun vaders en moeders bij zich. En jij had helemaal niemand. Alleen mij maar.'

Jelle steekt zijn beide handen op. 'Sorry. Hij zei dat het echt moest.'

'Geeft niet. Leuk dat jullie er zijn.'

'Je was hartstikke goed', zegt Joël. 'Kun je voortaan altijd zo voetballen, alsjeblieft? Dan verliezen we tenminste niet meer.'

'We raken hem kwijt', voorspelt Tiani somber. 'Ik wed dat-ie gescout wordt.'

'Echt niet', zegt Matteo.

'Heb je die twee mannen niet gezien?'

'Welke twee mannen?'

'Die ouwe mannen. Met die petten. Eerst stond die ene naar je te kijken. En toen belde hij met zijn mobieltje, en toen kwam die andere er ook nog bij. En ze schreven van alles op in een boekje.'

'Echt?' zegt Matteo.

'Wil je het zien?' zegt Gijs. 'Ik heb het gefilmd.'

Matteo komt overeind. 'Nee hè. Zeg dat het niet waar is. Zeg dat je dat niet gedaan hebt. Zeg dat je me niet nog erger voor gek hebt gezet.'

Gijs stompt hem tegen zijn borst. 'Grapje.'

Matteo schudt zijn hoofd. 'Echt waar, Gijs is erg. Hij is nog erger dan mijn vader en mijn moeder bij elkaar. Weet je wat-ie deed? Hij ging mij staan filmen in de kantine. Waar iedereen bij was.'

Tiani klakt met haar tong. 'Gijs. Dat doe je toch niet.'

'Dat was mijn tactiek', legt Gijs uit. 'Ik dacht, ik maak hem flink boos. Dan gaat hij beter spelen. En het is gelukt, toch? Ik heb je nog nooit zo goed zien spelen.'

'Als ik tegen de bal schopte, schopte ik eigenlijk tegen jouw achterwerk aan', zegt Matteo.

'Zie je wel?' zegt Gijs tevreden. 'Ik wist wel dat het zou werken.'

Thuis ruikt het naar kip met kerrie. Matteo's lievelingseten. Mem staat achter het aanrecht en snijdt een sinaasappel in kleine stukjes.

'Hé, Matteo!' zegt ze opgewekt. 'Vertel! Hoe was het?'

'Cool.'

'Ging het goed?'

'Kweenie. Mag ik een stukje sinaasappel?'

'Ja. Als je eerst je handen wast. Matteo! Hé! Wat zeg ik nou!'

'Oké', mompelt Matteo, zijn mond vol sinaasappel. Hij gaat de kamer in en laat zich op de bank vallen. Hij is kapot. Hij moet nú aan de slag met zijn spreekbeurt. Maar eerst moet hij even bijkomen. Gedachteloos veegt hij zijn kleverige sinaasappelhanden af aan de kussens.

'Doe je voetbalschoenen uit vóór je gaat zitten', roept mem vanuit de keuken. 'En veeg je handen niet af aan de bank!'

Matteo haalt snel zijn handen tussen de kussens vandaan.

'Voetbalschoenen!' roept mem nog een keer. 'En ga even douchen, alsjeblieft!'

Matteo legt zijn voeten op de armleuning en trekt. De schoenen vallen op de grond. Stukjes modder springen over de houten vloer. Met één hand trekt hij zijn kousen en scheenbeschermers uit. Dan zakt hij weer achterover. Even uitrusten. Heel even. Dan gaat hij douchen. En zijn spreekbeurt maken.

Gekraak van planken. Een verontwaardigde meisjesstem.

'Ieeeuw! Matteo! Haal die zweetschoenen hier weg!'

Matteo schrikt wakker. Daar staan Valentina en Ramona. In hun balletkleren. Twee boze, roze heksjes.

'En die gore sokken!' zegt Valentina, met dichtgeknepen neus. 'Wat een stank!'

Matteo schiet overeind. 'Hoe laat is het?'

'Halfzes', zegt Ramona. 'We gaan over twee minuten eten.'

'Mem vraagt of je al gedoucht hebt. Want anders wordt ze heel boos, zegt ze.'

'Wat? Halfzes? Help!'

Matteo grijpt zijn spullen bij elkaar. Voetbalschoenen. Kousen. Scheenbeschermers. Voetbaltas.

Hij rent naar boven. Hij moet meteen douchen. En eten. En dan zo snel als hij kan die spreekbeurt in elkaar draaien. Anders loopt het morgen niet goed af.

Matteo's supertip van de dag

Maak je moeder boos in drie simpele stappen:
Gooi je sporttas na het trainen in een hoekje waar niemand hem ziet.
Zorg dat je vieze stinkkousen helemaal in elkaar gepropt zitten.
Trap je voetbalschoenen uit zonder de veters los te maken en klaag als je weer moet voetballen dat je ze niet aan krijgt.

17 Bezoek

M atteo probeert zich zo klein mogelijk te maken achter de rug van Auke. Nog een halfuur voor de pauze begint. Met een beetje geluk vergeet meester de spreekbeurt. Misschien was het toch niet zo heel slim om op bed liggend te bedenken wat hij zou gaan zeggen. Hij moet meteen in slaap gevallen zijn. En tot overmaat van ramp werd hij vanmorgen pas om kwart voor acht wakker. Zonder een idee wat hij moet gaan vertellen. Hij heeft niets aan zijn spreekbeurt gedaan. Helemaal niets.

Hij zakt zo ver mogelijk onderuit. Een bovenraampje kleppert in de wind. De lucht is grijs en nat. Maar in de boom op het plein fluit een merel. Alsof het het mooiste weer van de wereld is.

Een zwarte Volkswagen rijdt voorbij. Een Heerenveenspeler zeker. Hé. Hij remt af. Wat doet hij? Gaat hij de parkeerplaats op? Matteo rekt zich uit om het beter te kunnen zien.

'En dan is nu het moment aangebroken waar sommigen van ons zich op verheugd hebben', zegt meester Friso. 'Het moment dat anderen gevreesd hebben. De spreekbeurt van Matteo. Meneer Salvatore. Mag ik u uitnodigen?'

Matteo zucht. Verdraaid nog aan toe. Waarom heeft meester ook zo'n goed geheugen!

Hij duikt omlaag en zoekt tussen de spullen in zijn tas. Daar is het. Zijn opschrijfboekje met voetbaltips. Op het laatste moment heeft hij het in zijn tas gegooid. Hopelijk kan hij hier inspiratie uit putten.

'Zet hem op!' fluistert Jelle.

'Ja, maak het interessant!' zegt Gijs. 'Als meester in slaap valt, moet ik mijn potlood opeten. En ik heb helemaal geen zin in potlood.'

Matteo struikelt naar voren, zijn opschrijfboekje tegen zijn borst geklemd.

'Matteo. Aan jou het woord.' Meester Friso gaapt achter zijn hand. 'Tjonge. Ik weet niet wat ik heb. Ik voel me ineens zo slaperig.'

Matteo kijkt naar de klas. Vierentwintig paar ogen kijken terug. Snel slaat hij zijn ogen neer. Zijn benen voelen slap. Alsof er pudding in zit in plaats van botten. Zo meteen valt hij nog om.

'Matteo?'

Matteo krabt in zijn haar. 'Ik, ehm ... nou ja, ik wil mijn spreekbeurt dus doen over, eh ... nou ja, voetbal, dus.'

En nu? Wat moet hij vertellen? Iets over de spelregels?

'Voetbal doe je dus met elf man. Of nee, eigenlijk tien en een keeper. Of – wacht even.

Eigenlijk spelen wij zelf met negen man. En bij de F-jes spelen ze met zeven man. Nou ja, niet mannen, maar jongens, natuurlijk. Of meisjes. Het kunnen ook meisjes zijn.'

Gegrinnik vanuit de klas. Matteo kijkt op. Heeft hij iets grappigs gezegd?

O nee. Het is meester Friso. Die ligt met zijn hoofd op zijn handen. Zijn ogen zakken langzaam dicht. Snel! Iets interessants!

Matteo bladert in zijn boekje. Aha. Daar heeft hij iets. 'Vroeger voetbalden ze met een varkensblaas. Dus zeg maar de blaas van een varken. Waar pies in zat.'

Meester opent één oog. Maar het zakt meteen weer dicht. Er

klinkt een vreselijke snurk. 'Ngggrrr.'

'Matteo!' kreunt Gijs. 'Doe wat!'

Tok-tok-tok.

'Er klopt iemand op de deur!' zegt Anne-Rixt.

Matteo kijkt naar meester. Maar die is zo te zien diep in slaap.

Tok-tok-tok. De deur gaat open.

Matteo's ogen worden wijd van verbazing. Daar staat Geert-Arend Roorda! Wat doet die hier?

'Hé, Matteo', zegt hij, terwijl hij zijn natte haar naar achteren veegt. 'Sorry dat ik stoor. Maar mag ik misschien even binnenkomen?'

Matteo knikt. Er gaat een schok van opwinding door de klas.

'Geert-Arend Roorda!'

'Kijk nou!'

'Hé! Geert-Arend!'

'Ieeee!' Nienke knijpt Anne-Rixt in haar arm. 'Het is Geert-Arend Roorda! Moet je zien!'

'Doe normaal!' sist Anne-Rixt.

Geert-Arend lijkt zich niet bewust van de opschudding die hij veroorzaakt. Hij haalt een brief uit zijn binnenzak. 'Ik heb post. Voor Matteo. Mag wel even, hè, meester?'

Meester Friso opent zijn ogen. Hij komt langzaam overeind. 'Pardon?' zegt hij verbaasd.

'Normaal moet je er een week op wachten', gaat Geert-Arend verder. 'Maar er is voor één keer een uitzondering gemaakt.' Hij geeft de envelop aan Matteo. 'Alsjeblieft.'

Matteo's hart begint te bonzen. Hij ritst de envelop open. Het is een brief. Een brief van Heerenveen.

Hallo Matteo,

Je hebt gisteren meegedaan aan de testdag voor de voetbalschool. Je hebt tijdens de selectietraining getoond wat je kon. En dat zag er goed uit.
Met veel plezier delen we je daarom mee dat je doorgaat naar de volgende selectieronde. We zien je graag terug op woensdag 16 april. We wensen je alvast veel succes.

Met vriendelijke groet,
de trainers van de voetbalschool Heerenveen

'Wat staat er?' roept Tiani. 'Wat schrijven ze?'
Matteo leest de brief nog een keer. En nog een keer. Maar het staat er nog steeds. Een grijns trekt langzaam over zijn gezicht.
'Ik ben door!' zegt hij. 'Ik ben door naar de volgende ronde!'
'Yes!' roept Jelle. Hij stompt zijn vuist in de lucht. 'Yes! Yes! Yes! Ik wist het!'
'Echt waar?'
'Ben je door?'
'Laat zien!'
'Dat is zo cool!'
'Hallo?' zegt meester Friso. Hij komt langzaam overeind.
'Kan iemand mij even uitleggen wat hier aan de hand is? Ik dacht dat je een spreekbeurt aan het houden was, Matteo?'

'Daarom ben ik hier ook', zegt Geert-Arend snel. 'Vanwege de spreekbeurt. Matteo gaat mij interviewen. Toch, Matteo?'

Hij knipoogt naar Matteo. 'Heeft je vriend Gijs effe geregeld', zegt hij zacht.

Matteo werpt Gijs een dankbare blik toe. Dan draait hij zich naar meester Friso. 'Ja klopt, meester. Ik ga hem interviewen.'

'Wat een bijzonder origineel idee', zegt meester Friso. 'En mag ik dan ook even weten wíé je gaat interviewen?'

Kreten van ontzetting klinken door de klas. Gekreun.

'Meester!'

'Neeeee!'

'U kent Geert-Arend Roorda toch wel!'

'Sorry', fluistert Matteo tegen Geert-Arend. 'Beetje pijnlijk.'

Geert-Arend grinnikt. 'Geeft niet.'

Meester Friso krabt aan zijn hoofd. 'Wacht even, wacht even. Was dat niet die jongen ...' Hij zwijgt. 'Ik weet het niet meer.'

Matteo gaat rechtop staan en kijkt meester streng aan. 'Geert-Arend Roorda is een middenvelder bij sc Heerenveen.' Hij is even stil. Dan voegt hij er voor alle zekerheid aan toe: 'Een voetbalclub.'

Er klinkt gelach in de klas. Ineens wordt de deur opengegooid. Daar staat meester Lieuwe. 'GOEDEMORGEN!' buldert hij.

'Wat is hier aan de hand? Ik zag zonet een onbekend persoon door de gangen lopen. Ik wil even controleren – ' Zijn mond valt een stukje open. Zijn lange, zwarte wenkbrauw gaat omhoog.

'Maar dat is – dat is Geert-Arend Roorda! Meester Friso! Hebt ú dat georganiseerd?'

'Geloof me', zegt meester Friso. Hij steekt zijn beide handen omhoog. 'Ik wist hier niets van.'

Meester Lieuwes blik glijdt naar Matteo. 'Aha!' zegt hij. 'De spreekbeurt. Is dat het? De spreekbeurt die geheim moest blijven. Nu begrijp ik het. Ik mag er zeker wel even bij komen zitten, meester Friso? Ik ben zéér geïnteresseerd.'

'Ga uw gang, meester Lieuwe', zegt meester Friso beleefd. 'Daar is nog wel een plaatsje.'

Handenwrijvend loopt meester Lieuwe de klas in. Hij gaat op Matteo's stoel zitten. Langzaam wordt het stil. Matteo recht zijn rug. Voor de tweede keer die morgen begint hij aan zijn spreekbeurt. Maar ditmaal stromen de woorden helemaal vanzelf zijn mond uit. Alsof hij altijd al geweten heeft wat hij wilde zeggen.

'Grote mensen willen dat je later iets wordt. Iets nuttigs. Zoals huizenverkoper, of belastinginspecteur, of iemand die de krant leest om te kijken of er taalfouten in staan. Ik wil later profvoetballer worden. Net als heel veel andere kinderen in deze klas. Net als heel veel andere kinderen op deze wereld.

Als je dat tegen grote mensen zegt, dan lachen ze je uit. Wij weten heus wel waarom. Grote mensen denken dat het ons nooit zal lukken. Ze denken dat we niet goed genoeg zijn. Ze denken dat we later toch iets saais zullen worden, net als zij.'

Matteo kijkt de klas rond. Alle ogen zijn op hem gericht. Zelfs die van meester Friso.

'Oké. Misschien hebben ze gelijk. Misschien zal het ons niet lukken. Maar het is onze droom. En we zullen er alles aan doen om hem uit te laten komen.

En als het niet zal lukken, als we later huizenverkopers zijn, of schoenmakers, of melkpakkenrechtzetters in de supermarkt, dan kunnen we in elk geval tegen onszelf zeggen: we hebben het geprobeerd.'

Matteo's ogen glijden naar Geert-Arend, die op de rand van meesters bureau is gaan zitten.

'Ik wil jullie een verhaal vertellen over iemand zoals wij. Een jongen die opgroeide in Friesland, net als wij. En die, net als wij, altijd aan het voetballen was. Op straat, op het schoolplein, op z'n voetbalclub. Die ook hoopte dat hij op een dag ontdekt zou worden. Geert-Arend Roorda.'

Het is doodstil geworden in de klas.

'Het was een donkere, koude maandagavond. De wind loeide door de bomen. De regen kletterde op de daken. Geen normaal mens waagde zich op straat. Maar op het veld van vv Noordbergum waren Geert-Arend en zijn broer aan het voetballen. Ze merkten niets van de regen en de wind. Ze letten niet op hun moeder die langs de lijn stond om hen aan te moedigen.

En ze zagen niet dat er die avond een onbekende langs de lijn stond. Een geheimzinnige gestalte, die hen al een hele poos in de gaten hield ...'

Het lievelingsgerecht van Geert-Arend
Roorda
(eet het als je een groot voetballer wilt
worden):
Rijst met kip en kerriesaus, met ananas
en over de rijst nog boter, suiker en
kaneel!
Heerrlijkkk (volgens Geert-Arend).

18 Voetbal in de regen

A ls Matteo stopt met praten, barst er een applaus los. Matteo wrijft over zijn voorhoofd. Hij heeft geen idee wat hij allemaal gezegd heeft. Hij heeft geen idee hoe lang zijn spreekbeurt geduurd heeft. Hij heeft geen idee of het goed is gegaan of niet. Eigenlijk kan hij maar aan één ding denken. De uitnodiging van Heerenveen. Hij heeft het gehaald! Hij is dóór! Wat zal papa zeggen? En mem? Ramona en Valentina gaan vast naast hun schoenen lopen van verwaandheid. Hij hoort ze al praten.

'*Dat is helemaal dankzij ons, hè, Matteo.*'

'*Wat zou je zonder ons moeten beginnen?*'

'*Nu moet je ook wat voor ons doen.*'

'*Ja. Met ons mee naar ballet.*'

'*Voor een proefles.*'

'Matteo! Halloohoo!'

Matteo knippert met zijn ogen. Er steken allemaal vingers in de lucht.

'Mag ik wat vragen?'

'Ik heb ook een vraag!'

'Ik ook!'

'Wacht even', zegt Matteo. Hij knijpt zijn ogen halfdicht en probeert zich te herinneren wat hij aan het vergeten is. 'Volgens mij was er nog wat.'

Tiani wijst met haar duim naar rechts. 'Je zou Geert-Arend Roorda interviewen, dombo!'

Matteo slaat zijn handen voor zijn mond. 'Oeps. Sorry!'

Geert-Arend lacht. 'Geeft niet. Je kunt niet overal aan denken.' Hij komt van het bureau af en trekt zijn spijkerbroek recht. 'Waar wil je me hebben?'

'Naast mij!' roept Nienke. Ze zwaait met haar arm. 'Hier! Kom naast mij zitten!'

'Op mijn schoot zeker', zegt Anne-Rixt verontwaardigd.

'Ga jij maar op de grond.'

Matteo werpt Nienke een woedende blik toe. 'Doe normaal!' zegt hij geluidloos. Dan keert hij zich tot Geert-Arend. 'Blijf maar gewoon hier staan. Naast mij.'

Hij bladert in zijn opschrijfboekje. Gelukkig dat hij het meegenomen heeft. Al zijn vragen staan erin. Ha. Daar heeft hij een goeie. 'Wat vonden je vader en moeder ervan dat je voetballer wilde worden?'

'Mijn vader en moeder?' Geert-Arend stopt zijn handen in zijn zakken en kijkt even naar het plafond. 'Die vonden het prima, eigenlijk. Die hebben altijd achter mij en mijn broer gestaan. Wat we ook wilden worden.'

'Deden ze ook veel voor je?'

'Heel veel. Ze brachten me altijd naar de training, ze kwamen altijd naar de wedstrijden. Ze zorgden ervoor dat ik goed te eten kreeg. En dat mijn kleren op tijd weer schoon waren.'

'Dat is zoooo cool', zucht Nienke. Ze zit met een dromerige uitdrukking op haar gezicht naar Geert-Arend te staren. Anne-Rixt geeft haar een flinke por in haar zij.

'Doe normaal!'

'Doe zelf normaal!'

'Straks rollen je ogen nog uit je kop.'

Nienke kijkt boos opzij. 'Moet jíj zeggen.'

'Komen je vader en moeder ook altijd kijken als je moet voetballen?' vraagt Matteo snel. Hij had Nienke een prop in haar mond moeten stoppen. Wat moet Geert-Arend wel niet denken!

Geert-Arend grinnikt. 'Vroeger wel. Toen kwamen ze naar elke wedstrijd. Nu niet meer. Ze komen meestal wel als we thuis spelen. En bij topwedstrijden, natuurlijk. Als we uitspelen tegen Ajax, bijvoorbeeld, komen ze ook. Daar genieten ze echt van. En ik vind het ook hartstikke mooi als ze erbij zijn.'

Matteo knikt langzaam. Stel je voor. Uitspelen tegen Ajax. In de Arena. Dat moet zo cool zijn. Vooral als Heerenveen dan wint. Dat ze dan eerst met één-nul achterstaan. En dat hij dan de gelijkmaker scoort. En daarna nog een doelpunt ...

Jelle zwaait met zijn vinger door de lucht. 'Hé, mag ik ook wat vragen?'

'Van mij wel', zegt Geert-Arend. 'Wat wou je weten?'

'Wat ik me altijd afvraag: wat doe je eigenlijk als je een blessure hebt? Heb je dan vakantie?'

Geert-Arend schudt zijn hoofd. 'Nee, als je een blessure hebt, kun je geen vakantie houden. Je hebt het dan juist extra druk. Je moet vaak naar de fysiotherapeut om je te laten behandelen. En je moet natuurlijk wel je conditie houden. Dus moet je veel fitnessen. Eigenlijk moet je twee keer zo hard trainen om weer topfit te worden. En ondertussen baal je natuurlijk ontzettend dat je niet kunt voetballen.

En soms heeft de rest van je team vakantie, en jij nog niet. Omdat je door moet met de revalidatie. Dat is pas echt balen.'

'Ben je ook boos op degene die je een blessure heeft bezorgd?' vraagt Jelle.

'Ja, soms wel. Als je het gevoel hebt dat iemand je met opzet trapt.'

'Zeggen ze dan ook sorry?'

'De meeste spelers wel. Maar soms doen ze het niet. Sommige spelers kunnen echt gemeen doen. En dan word ik ook boos, snap je? Omdat dat helemaal niet de bedoeling van voetbal is.'

'Ik had een keer iets heel oneerlijks', vertelt Tiani. 'Ik had de bal en ik was al vlak bij het doel. En ik rende langs een verdediger, en die liet zich zomaar op de grond vallen. Terwijl ik hem niet eens aanraakte. En toen kregen zíj een penalty! De tegenstanders!'

Ze kijkt zo boos alsof Geert-Arend het haar persoonlijk heeft aangedaan. 'Echt vet oneerlijk van de scheidsrechter.'

'Ja, daar zou ik ook van balen.'

'Dus. Wat moet je dan doen? Als de scheidsrechter een oneerlijke beslissing neemt?'

'Op z'n tenen springen!' raadt Nienke aan. 'Heel hard.'

Tiani werpt haar een schampere blik toe. 'Sinds wanneer heb jíj verstand van voetbal?'

'Niet op zijn tenen springen', zegt Geert-Arend. 'Dat is geen goed idee. Je moet altijd netjes blijven tegenover de scheidsrechter. Ook al is dat wel eens moeilijk als je boos bent. Leg gewoon rustig uit wat er gebeurd is. En geef aan dat je het er niet mee eens bent. Dat is alles wat je kunt doen.'

Tiani zakt fronsend onderuit. 'Lekker zeg. Dus je kunt gewoon niks doen.'

Geert-Arend steekt zijn handen op. 'De scheidsrechter is de baas. En hij kan wel eens fouten maken. Maar zo zijn de regels nou eenmaal.'

'Volgende keer moet jij je gewoon laten vallen als ze in het strafschopgebied komen', raadt Gijs aan. 'Dan krijgen wij een penalty.'

'Pfff. Ik kijk wel uit. Ik wil geen gele kaart.'

Het is even stil. Matteo ziet zijn kans schoon. 'Heb je wel eens een strafschop gemist?' Een paar weken geleden heeft hij bij een penalty naast het doel geschoten. Wat baalde hij. Vooral toen Tiani hem begon uit te foeteren.

Geert-Arend knikt. 'Ja hoor. Ik heb er wel eens eentje gemist.'

'Waren je teamgenoten toen ook boos?'

'Nee.'

'Ha!' Matteo kijkt triomfantelijk naar Tiani. Die steekt haar tong naar hem uit.

'Mijn teamgenoten hebben vast ook wel eens een strafschop gemist', gaat Geert-Arend verder. 'En dan hadden ze het ook niet leuk gevonden als de anderen boos waren geworden.'

'Twee meter naast', snuift Tiani.

'Kom op', zegt Matteo. 'Een half metertje, meer niet.'

'Ho maar', zegt meester Friso. Hij springt op. 'Dankjewel, Matteo. Dit lijkt me een mooi einde. Hartelijk dank voor je spreekbeurt. Interessanter dan ik gedacht had, moet ik toegeven. En u ook bedankt, meneer Roorda. Sorry dat ik even niet zag wie u was. Mijn bril, ziet u. Er is een poosje geleden een bal tegenaan gekomen. Ik zal niet zeggen wie de boosdoener is – '

Matteo maakt een buiging. 'Dank u, meester.'

' – maar sindsdien is mijn bril niet meer wat hij geweest is. Ik zie niet altijd even scherp. Anders had ik u gelijk herkend, dat snapt u.'

'Tuurlijk', zegt Geert-Arend. 'Ik snap het helemaal.' Hij knipoogt naar Matteo.

'Ik wist dat u het zou begrijpen.' Meester Friso wrijft tevreden in zijn handen. 'Nu heb ik zelf ook nog wel even een vraagje. Ik ben zelf namelijk ook nogal sportief, ziet u. Maar deze kinderen weigeren dat in te zien.'

'Aha', zegt Geert-Arend. Hij neemt meester Friso van hoofd tot voeten op. 'Eh ... wat voor sport doet u?'

'Ik schaak', zegt meester Friso trots.

'Cool. Doe ik ook.'

'Aha. Dat hoopte ik al. Zou ú aan deze kinderen kunnen uitleggen dat schaken ook een sport is? Naar u luisteren ze hopelijk.'

'Geen probleem', zegt Geert-Arend. Hij doet zijn armen over elkaar en kijkt streng de klas in. 'Kom op nou, jongens. Schaken is ook een sport. Een denksport. Waar je heel veel voor moet trainen. Net als voor voetbal. Jullie hebben een heel sportieve meester.'

Hoongelach gaat op in de klas.

'Ja hoor!'

'Echt wel!'

'Dank u, dank u', zegt meester Friso. Hij maakt een lichte buiging. 'Heb ik het jullie niet gezegd? Zeg, jongens. Het is bijna tijd voor de pauze. Maar het regent zo hard, wat mij betreft mogen jullie dit keer binnen blijven. En misschien wil meneer Roorda ons nog wel even gezelschap houden. Dan kunnen we een potje schaken.'

Geert-Arend kijkt naar Matteo. Hij kijkt naar de klas. En hij zegt: 'Nou, een andere keer zou ik de uitdaging graag aannemen. Maar ik heb wel zin in effe een potje voetbal in de regen. Is dat ook goed? U een team, ik een team, oké?'

'Eh ...' zegt meester Friso. Hij plukt aan zijn kin. Zijn ogen kijken hulpzoekend naar meester Lieuwe. 'Eh ...'

'Goed idee!' zegt meester Lieuwe enthousiast. 'Voetbal in de regen! Net als vroeger. Ik kom wel in uw team, meester Friso. Ik wil wel spits zijn. Dertig jaar geleden was ik ook spits.'

'Heel goed.' Geert-Arend legt zijn hand op Matteo's schouders. 'Dan weet ik al wie mijn spits wordt.'

Matteo grijnst breed. Hij wenkt naar de klas. 'Kom mee, allemaal. Voetballen!'

Als je tien bent en je wilt later profvoetballer worden, hoe veel uur moet je dan trainen per dag?

Advies van Geert-Arend Roorda:
Je moet gewoon heel veel voetballen. 's Ochtends voor school, in de pauze, 's middags na school. Zolang je het maar leuk vindt ... Want als je iets leuk vindt en je doet het vaak, word je echt beter. Dus mijn advies is: voetballen wanneer je maar kan. Maar alleen als je het echt leuk vindt om te doen. Anders maak je geen vorderingen!